トヨタ生産方式による カイゼンリーダー

〜 **シン・カイゼン**が育む地域経済社会 〜

［著］竹内治彦・山田直志
岐阜協立大学 学長　JPEC・岐阜協立大学 大学院 非常勤講師

はじめに

●ＪＰＥＣとの出合いと大学院講座

新型コロナウイルスのパンデミックの前年、２０１９年の春のことである。以前から親交のあった山田直志先生のお父様の山田日登志先生が突然、岐阜協立大学に私を訪ねてみえた。何でも、カイゼン活動に関する大学院をつくりたいというお話だった。多くの社会人の方を対象にＰＥＣ産業教育センターで研修を行ってきたが、せっかくなのでそれらの講座を大学院として行うことはできないかということだった。

この本を手にされていらっしゃる読者諸兄は、きっとお名前を御存じとは思うが、念のため触れておくと、山田日登志先生は、今日の日本、いや世界でカイゼン指導の第一人者でいらっしゃる。トヨタ生産方式を築いた大野耐一氏に弟子入りし、トヨタ生産方式について学んだというだけでなく、カイゼンについてはより研ぎ澄ましたといった方が正しいかもしれない。それぞれの分野の第一人者を紹介しているＮＨＫの「プロフェッショナル仕事の流儀」においても、工場再建のプロフェッショナルとして紹介されていた。そんな高名な山田日登志先生からのお話なので、何とかお気持ちにお応えしたいというところはあったが、何しろ新しく大学院をつくるというのは簡単ではない。どうしたものかと色々相談していたら、今度は息子の直志先生が現れて、カイゼン活動についての講座を大学ないし大学院の枠で行いたいというようなことを話された。この親子の〝ほう・れん・そう〟はどうなっているのだろうと疑問に感じながら、お二人のお話をうかがった。私たちの分析では、山田日登志先生は高名で、この分野の第一人者だが、ご自身の大学院の開設への想いが強く、できるだけご自身の枠組みで完結したいお考えのようだった。他方、直志先生のお話は、以前から本学の仕事に関わっていただいてきたこともあり、大学の制度や枠組みについての理解もあり、大学の制度に親和的でもあるので、大学の事業の中にすんなりと入っていただけそうだった。そこで、大きな枠組みとしては直志先生の構想を受け入れ、そこに山田日登志先生も時折入っていただくことはできないでしょうかというようなことをお話しした。そうした経緯で本学の大学院での社会人教育として、カイゼンの教育を形にしていく試みが始められた。

当時から、文部科学省では、大学が社会人の職業能力育成に取り組むプログラムを開発することを奨励しており、本学でも様々に検討していた。と言っても、本学だけの力では決め手に欠けるところもあり、思案していたなかで頂戴した山田父子からのお誘いは非常にありがたく有意義なものであった。

はじめに

検討の結果、直志先生を中心とする講座が本学大学院で２０２０年度から開講されることとなり、文部科学省の職業実践力育成プログラム（ＢＰ）にも認定された。さらに、厚生労働省の教育訓練給付金（専門実践教育訓練）の指定基準の見直しが行われ、職業実践力育成プログラム（ＢＰ）のうち基準を満たす教育訓練についても、教育訓練給付金（専門実践教育訓練）の支給対象となる教育訓練に追加されることとなった。この基準は、2年間以上、着実に受講生を集め修了者を出している講座、すなわち社会的ニーズが確認されている講座ということのようだった。厚生労働省の教育訓練給付金の対象講座となると、専門実践教育訓練の場合、受講生は受講料の最大70％までの給付を受けることができる。受講生本人がメリットを受けるし、受講料を派遣企業が負担する場合もあるので、企業にとっても派遣しやすくなる。それだけ受講を考える企業も増えることが期待できる。我々は2年間、基準をクリアできるよう受講生をしっかりと確保した。そして、本講座は、２０２2年8月に、厚生労働省から教育訓練給付金の講座指定を受けることができた。

この本はその講座の内容を紹介するとともに、大学教育でそれを進める背景などを紹介するものである。

岐阜協立大学 学長　竹内治彦

トヨタ生産方式によるカイゼンリーダー
～シン・カイゼンが育む地域経済社会～

目次

第3章　岐阜協立大学大学院に「トヨタ生産方式とカイゼンリーダー養成プログラム」開設　91

第1部

トヨタ生産方式とカイゼンリーダー

山田直志

第1章　トヨタ生産方式のインパクト

◎ANAにトヨタ生産方式

「ANAグループのケータリング事業をしている会社です。ご相談があります」ANA HDのグループ会社で機内食市場国内売上№1を誇る株式会社ANAケータリングサービス［本社　東京都大田区／代表取締役社長　石田洋平氏／従業員数1512名（2022年）／売上げ273億円（2019年実績）］　業務推進部長　篠原博士氏（当時）からだった。インバウンド4000万人／年の来日に向け、羽田・成田空港の滑走路増設や空港周辺インフラ整備など、オリンピックに向けた準備が着々と進められていた2014年5月のことだった。同社代表取締役社長　数田充彦氏（当時）ほか役員と会談。製造・物流拠点を拡張することなく、今後のオリンピックに向けたANAグループの増便や同社の取り引き先となっているスターアライアンスメンバーの航空各社の増便などに対応したいとのことだった。機内食の製造や機内サービス用品の搭載・取り降ろし・グランドハンドリング業務などANAグループの中核事業にトヨタ生産方式……。同社の製造・物流現場を巡回すると、至る所にカイゼンの余地があった。

●カイゼンリーダーたちが支えたカイゼン活動

同年7月からカイゼン推進プロジェクトをスタート。2020年3月までの約6年間に行ったプロジェクトのテーマは「物流・製造拠点内のレイアウト変更」「ベルトコンベアー方式からセル生産方式[1]への転換」「Pull方式導入」「平準化生産計画導入」など多岐にわたった。具体的には「これまで（機内食の）トレーセット工程はベルトコンベアーにトレーを流し、数人が並んで料理や食器類を順々にセットしていた。一人当たりの作業を単純化できる一方で、ベルトコンベアーの速度は最も遅い作業者（時間がかかる工程）に合わせる必要があった。これを1人でセットする体制に見直した」（日経産業新聞　2016年12月16日18面～ANAケータリング機内食をセル生産～）などであった。

カイゼン発表会を開催

ANAホールディングスよりカイゼンアワードを受賞

　日本を代表する航空会社の直系

製造・物流拠点であり、当時既に始まっていた首都圏各空港の発着枠争奪戦に追従、着々と進むANA便の増便に対応、待ったなしの改革を迫られていた。また巨大製造・物流拠点ではパート社員を含む同社社員だけで約1500名、各拠点内での業務委託先社員や仕入れ先企業社員まで含めると約2000名の従業員が働いていた。到底私一人では太刀打ちできないと考え、プロジェクト開始当初から同社幹部候補生を対象に社内カイゼンリーダーを養成。彼らがプロジェクトメンバーとなり、各カイゼンテーマをこなしてくれた。

同社代表取締役社長　数田充彦氏（当時）はインタビューのなかで「これらを実行したところ、川崎工場には200㎡、成田工場には200～300㎡のスペースがあっという間にできた。それまで『狭く使うように』と何度も言ってできなかったのが、機能的なものの見方・配置にしただけですぐにカイゼンでき、（2015年）6月以降、ANAが増便するのに合わせて、その分を全て自社工場内で生産できるようになった」と答えている（日本食料新聞社刊「食品工場長」2015年9月号）。同社は2019年までに一人当たりの生産性はカイゼン前に比べ37％アップ、売上げ対営業利益率は5倍となった。

同社のカイゼン期間中には「在庫を減らせ」「スペースをつくれ」と叫び続けてきた。度々話題にのぼった製造・物流拠点の増築・投資構想も抑制できた。そして2020年3月のパンデミックを迎え、航空業界は発着便ゼロなど最悪の事態を迎えた。生き生きとカイゼン活動に励んでいたあのときが早く戻ってきてほしい。

[1]…白鳥恵那愛知電機株式会社（旧白鳥愛知エマソン）で1973年に山田日登志氏により発案（類似するボルボ生産方式が確立されたのは同社カルマル工場設立の1974年とされている）された製品の組み立てから完成させるまでを1人または複数の作業者が行う生産方式。ソニー㈱元生産革新センター所長金辰吉氏が命名した。

◎日本一のまぐろ屋さんにトヨタ生産方式

全国の高級料亭やホテル、旅館に新鮮なまぐろを中心とした海鮮食材を届ける株式会社三崎恵水産［本社　神奈川県三浦市／代表取締役社長　石橋匡光氏／従業員数75名／売上げ60億円（2017年実績）］は2022年からトヨタ生産方式を導入した［後述する回転寿司事業を手掛ける株式会社ネオ・エモーションは同社のグループ会社。連結従業員数495名／連結売上げ87億円（2017年実績）］。コロナ明けに備え、いまこそカイゼンのチャンスととらえ、グループ全社で取り組んでいる。

●物流・製造拠点のカイゼンと営業部門のカイゼン

同社社長石橋氏は、国内の高級志向や世界的な日本食ブームを三浦市三崎漁港に隣接する物流・製造拠点で生産向上により対峙しようとしている。青山学院大学卒業後、海外生活が長かった石橋社長はふるさと三浦市発信で、海外輸出を含めて２０３０年までにグループ年商１００億円を目指している。

　これまでの約半年ほどの活動で、同社の物流・製造拠点の景色は大きく変化した。雑然としていた製造・物流拠点内はスッキリし、どの加工ラインもコンパクトになった。巨大なまぐろを加工する複数のラインの中に配置されていた稼働率の低い機械設備は取り外し、それらを再活用して、新しく機械設備への投資をすることなく新たな製造ラインを編成した。コンパクトなラインに編成し直すこ

株式会社 三崎恵水産　セル生産ライン

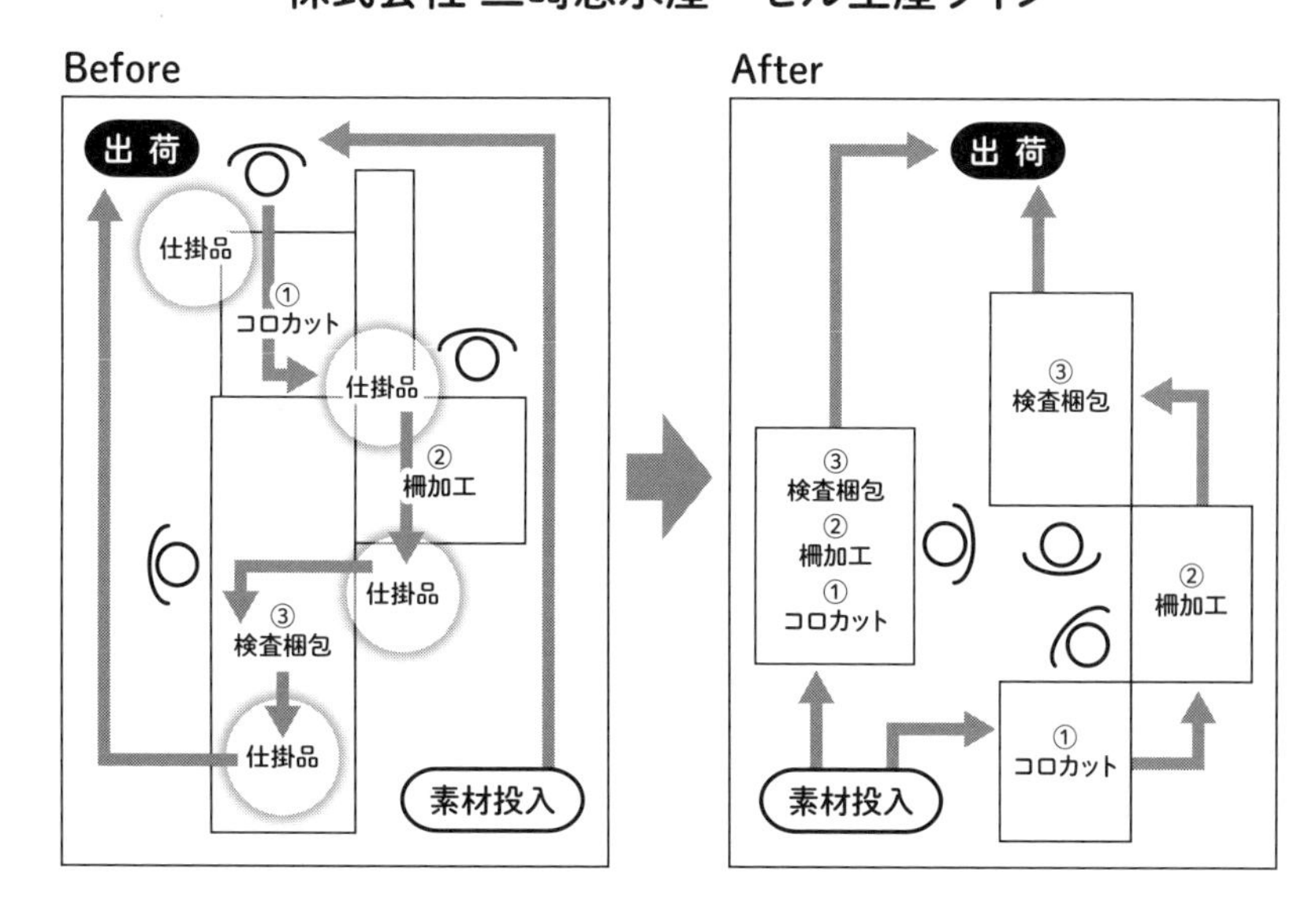

とにより製造拠点の人員は増員することなく、増産に対応できるようになった。また、食品の物流・製造拠点には欠かせない毎日の拠点内の建物・機械・設備の洗浄・清掃作業も一つひとつ工夫が施された。その結果、毎日1・5時間×20名で進めていた洗浄・清掃作業から10名が活人[2]され、当初の半分の人数の10名が、清掃作業時間に次なるカイゼンを進められるようになった。こうした活動が今は物流・製造拠点内に波及効果を生んでいるし、これが利益率上昇へとつながっている。三浦市は首都圏から近く、芸能人の別荘などもたくさんある町だ。同社石橋社長はまぐろを豪快に加工する同社の物流・製造拠点が観光拠点の一つになってもよいのでは……と考えている。

物流・製造拠点でカイゼン活動がスタートしてから数か月遅れて、営業部門もカイゼン活動に合流した。合流当初は営業目線での物流・製造拠点側へのカイゼン要求や物流・製造拠点側から営業部門へのカイゼン要求などを相互に議論、カイゼン成果に結びつけた。中でも魚の切り身（柵）の包装形態は大幅にスリム化されたし、受注から発送までの流れづくりでは、やみくもにデジタル化する必要はなくとも、十分簡素な業務へと変化した。さらに物流・製造部門の躍動感あるカイゼン活動に感化され、急速に事業が拡大した時期の経営陣中心の営業戦略（営業戦略があってないような「がむしゃら期」の営業活動）をより丁寧に精度アップ。営業部門スタッフ自らが石橋社長の経営ビジョン・経営計画（社内では「次なる挑戦」と言っている）を咀嚼し、自律的・体系的な営業戦略を立案。各自の営業活動を石橋社長の経営ビジョンや経営計画とより近接させ、かつロジカルにさせた。まさに経営が戦略的となった。

[2]…カイゼン対象業務のムダを排除しカイゼンすることによって、その業務から人を抜き、付加価値ある仕事についてもらうこと。ソニーが生産革新活動を推進する中で命名した。「人を活かすこと（広辞苑）」。

●カイゼンマインドの醸成

同社のこうした活動の結果、既に売上げ対営業利益率は今のところコロナ前対比で5・2%上昇している。

物流・製造・営業全部門を統括し、カイゼン統括リーダーとして旗を振る同社取締役　藤崎尚美氏は、「カイゼン活動はまだ始まったばかり。コロナ禍にどれだけカイゼンに向かい合えるか。そしてアフターコロナには、コロナ前の経営数字をどれだけ変化させられるか、今が正念場」と語っている。また事業承継者となって数年もたたないうちにこのコロナ禍を迎えた石橋社長は、従業員たちの手で会社を自律的に変化させようとするカイゼンマインドが、同社の主幹となる製造・物流・営業スタッフに醸成されたことを、今はもっとも評価している。製造・物流・営業スタッフ一人ひとりが経営に直結した業務に加わっている。それを変えていくことこそがこの先の三崎恵水産を創り上げていくのだということが自覚でき、誇りに思い始めてくれているのだと思う。

◎外食産業にトヨタ生産方式

人々の暮らしの移り変わりとともに、外食産業はコロナ前、30兆円市場に届くのではないかと言われていた。そのうち寿司店は1・5兆円で、さらにそのうち大手回転寿司チェーン店が6000億円程度を占める。

外食産業の生産性は他業界に比べて極めて低く、従来からの経営課題だ。コロナ禍を経て、更に人件費高騰に材料費高騰も加わり、外食産業の生産性向上は喫緊の課題だ。

株式会社ネオ・エモーション［本社　神奈川県横浜市／代表取締役社長　石橋匡光氏／従業員数420名／売上げ27億円（2017年実績）］は首都圏に12店舗、シンガポールなど海外に4店舗で回転寿司店を運営する株式会社三崎恵水産のグループ企業だ。同社は株式会社三崎恵水産へのトヨタ生産方式導入と並行して本格的なカイゼン活動を始めた。

●店舗オープン前作業のカイゼン

飲食店の売り上げは当然ながら店舗をオープンさせ、お客様に料理を楽しんでいただいたあとに発生する。店舗オープン前に行う作業はできれば少なくしたいものだ。

同社は横浜駅に直結したポルタ地下街にある店舗をカイゼンのモデル店舗とし、その中でも店舗をオープンさせる前に発生している作業全てをまずはカイゼン対象とした。この店舗オープン前作業は、大きくホール側の作業とキッチン側、そしてバックヤード側の作業に分かれる。ホール内の作業には①ホール内カウンター備品（湯飲み・小皿・箸・タブレット端末など）のセッティング作業、②カウンター備品（醤油・がり・粉茶など）の補充作業、③ドリンクカウンターにあるサーバー（生ビール・酎ハイ・日本酒など）のセッティング作業、④レジオープン作業などがあった。同店舗ではこの作業をホールスタッフ2名が毎日2時間かけて行っていた。各作業を丁寧に動画撮影し、何度も作業分析しカイゼンしてみると、結局ホールスタッフ1名が1時間で、何も急ぐことなくできるようになった。その後、店舗オープン前にキッチン側で発生している作業も丁寧に動画撮影し、カイゼンした。キッチンから離れた冷蔵庫に食材を何度も取りに行く作業や、食材の必要数を数える作業など、約2時間のキッチン側で発生しているオープン前作業だけでも、カイゼン視点で見直せる作業は20項目を超えた。さらには本来この作業はオープン前にすべき作業なのか、客足が途絶えるアイドルタイムにできる仕事ではないか、更には先述した三崎恵水産や同社が横浜中央市場内に保有するセントラルキッチンとの連携をもっと図ってもよい作業なのではないかなど、同社のカイゼンは深耕している。こうした店舗内作業の見直しは、店舗内各所にある冷蔵庫内の素材やドリンクの保管方法や配置状況の見直し、湯飲みや小皿、グラスやビールジョッキの置き方や数量の見直しにも波及した。その結果、店舗内の備品や冷蔵庫も余剰となり、店舗内やバックヤード内はスッキリした。

●他店舗へのカイゼン波及

株式会社ネオ・エモーションは国内だけで12店舗ある。中でも横浜みなとみらいワールドポーターズ店は57席を保有する大型店舗だ。同社は横浜ポルタ店でのモデル的なカイゼンを、このあと国内外の全ての店舗に順次導入していく予定だ。

同社営業本部　販促企画広報課　野中祐一氏は「これまで新規出店を検討してもなかなか収益に貢献できず悩んでいた。回転寿司の現場となっている店舗での生産性が向上し、そこで捻出された人や時間、備品や機材は次の新規出店の際に活用する」と述べている。同社は大方針として、今後の新規出店を現存する従業員数を超えない人数で進めていくことにしている。増員しないで新規出店を図っていくということだ。

また同社石橋社長は「寿司屋は腕のいい寿司職人たちがお客様の前でうまい寿司を握り、日本古来の寿司文化を楽しんでいただけることにやはり価値がある。店舗内にはお皿が回転し続けるレーンが存在するが、寿司文化はやはり人と人。カイゼンでその余力をつくり、お客様も働く側も寿司を介して楽しんでほしい」と述べている。このように同社は機械化・自動化・AI化を急ぐ大手回転寿司チェーンの店舗運営とはカイゼンで一線を画していく。

◎バローにトヨタ生産方式

中部興産株式会社［本社　岐阜県可児市／代表取締役社長　小池孝幸氏／従業員数134名／年商177億円（2021年実績）］はバローHD内での物流センターの運営や集荷、店舗への配送などを請け負う物流業務を事業の中核としている。岐阜・愛知県内を中心に22か所の物流拠点を保有している。

トヨタ生産方式によるカイゼン活動は2021年7月からスタートした。2021年はモデル的に可児チルドセンターでのカイゼンに着手。2022年からはカイゼン対象拠点を可児物流センター以外に大垣物流センター、木曽川中部薬品物流センターを加えた3拠点に拡大して推進している。カイゼン対象拠点は今後さらに拡大させていく方針だ。

●可児チルドセンターでのカイゼン

２０２１年の可児チルドセンターでのカイゼンには、同社執行役員　坪井健一氏をカイゼンプロジェクトリーダーとした14名からなるプロジェクトチームを発足させてカイゼン活動を推進した。カイゼン対象職場はバロー各店舗から可児チルドセンター内に返却されるプラスチックコンテナの仕分け作業工程に特化して進めた。カイゼンテーマは①Weekday-Weekend別・プラコンの種類別の返却数と処理実績の把握、②可児チルドセンター内未使用プラコン撤去、③少量プラコン仕分け工程のセル作業導入、④プラコン着荷から仕分け―洗浄―出荷までのプラコン別の流れ把握、⑤仕分け工程のレイアウト変更など多岐にわたった。結果、可児チルドセンターの仕分け作業工程では10月までの約３か月でWeekdayは14名から7名で、Weekendは17名から9名で仕分け作業が完了するようになり、ほぼ倍の生産性を確保できた。

プロジェクトチームには可児チルドセンター以外の可児ドライセンター、中部薬品ドライセンター、大垣物流センター、木曽川中部薬品物流センターなどからもメンバーとして参画していた。彼らは可児チルドセンターでのカイゼン活動を参考に、自センターのカイゼン活動を促進している。

物流センター内でカイゼンするプロジェクトチーム

●物流拠点でのカイゼンは必至

カイゼンプロジェクトリーダーを務めている同社執行役員　坪井健一氏は「全く違った視点でカイゼンができた。視点を変えて各センターのそれぞれの業務を見て変化させていく必要がある」と述べている。また同社代表取締役社長　小池孝幸氏は「バローＨＤ会長の田代は製造小売りという言葉を使っている。小売業が製造業から習うべきことは多いし、今やその融合が求められている。トヨタ生産方式は製造業を長年にわたって支えてきたノウハウ。（後述する）岐阜協立大学大学院『トヨタ生産方式とカイゼンリーダー養成プログラム』はそれを体系的かつ専門的に教えていただけると聞いている。弊社もこれから続々と派遣していく」と述べている。

物流業界では２０２４年問題[3]がクローズアップされている。慢性的に長時間労働を強いられているトラックドライバーの自動車運転業務を法的に整備し、年間時間外労働時間の上限を設定することで、トラックドライバーの労働環境のカイゼンを図ろうとしている。

こうした法改正は一見とてもホワイトに見えるが、実際はトラックドライバーに荷物を預ける荷量と引き取る荷量が制限されることになる。そうなると運賃の値上げをしなければトラックドライバーの所得は減ることになるし、物流センターでの納品出荷頻度は著しく増え、物流センター内での構内作業が複雑化する懸念がある。

中部興産株式会社では２０２４年問題を見据え、物流センター内での生産性向上を中心に同社内外の物流業務をカイゼン視点で見直していく方針だ。

[3]…働き方改革関連法によって２０２４年４月１日以降、自動車運転業務の年間時間外労働時間の上限が９６０時間に制限されることによって発生する問題。

◎ものづくりにトヨタ生産方式（1）

トヨタ生産方式の創始者大野耐一氏が『トヨタ生産方式～脱規模の経営をめざして～』を出版したのはオイルショック後の１９７８年。日本の製造業がトヨタ生産方式を学び始めたときをその年とすると、それから半世紀近くになる。ならば日本の製造業はどこもかしこもカイゼンが浸透していて、もう「カイゼンの余地なし」とお考えになっているのではないだろうか。

●トヨタ生産方式を学び直し

住宅用ドアの製造加工を得意とする株式会社ハウテック［本社　岐阜県下呂市／代表取締役社長中川正之氏／従業員数４８５名／年商１０２億円（２０２１年実績）］は、２０２２年1月からトヨタ生産方式の学び直しを進めている。同社社長は約38年前に大野耐一氏の講義や研修にも直接参加されている。そして地道にトヨタ生産方式をベースとしたカイゼン活動に勤しんでこられた。それでも中川社長のトヨタ生産方式への愛着と求道心から、今回は製造部門のみならず設計部門や物流部門など、全社的にトヨタ生産方式の理念と手法の導入を進めている。

後述する岐阜協立大学大学院主催「トヨタ生産方式とカイゼンリーダー養成プログラム」には、既に同社では８名が修了を迎えており、私のコン

ハウテック関東工場でのカイゼン

サルティングと合わせて、猛烈なカイゼン活動が繰り広げられている。

扉は主に引戸と開き戸2種類から構成され、なおかつそれぞれの扉は扉本体と扉を囲う枠から成り立っている。カイゼン活動はまずはわかりやすく成果が上がりやすいところからと、本社工場にあるドア枠加工ラインと茨城県にある関東工場内ドア本体加工ラインの一部をモデルとしてカイゼンに着手した。

●経営資源の再活用

半年ほどのカイゼン活動の結果、本社工場ドア枠加工ラインでは2名の活人を創出、かつ4300時間／年の残業時間を短縮できた。またラインがコンパクトになったことから、ドア枠加工ライン横に空きスペースを創出できた。その空きスペースには、新規に受注した製品のラインを敷設した。もちろん活人できた人員は新規に受注した製品のラインに配置した。カイゼンで人員やスペースを増やすことなく、新規受注を吸収し、なおかつ残業時間短縮も図られた。その他本社工場では部品在庫の持ち方や発注業務、部品の入出庫業務の見直しや設計部門の業務改善にも着手、今後早期にカイゼン成果を創出する。

また首都圏の巨大マーケットに隣接する関東工場では、秋以降20％ほどの増産を見込んでいる。トヨタ生産方式の導入により増員することなくこの増産に対応する予定だ。その前哨戦として、ドア本体加工ラインの一部の職場でカイゼン活動を推進。同職場では増員なく、予定している増産の対応が可能となった。なおかつこれまで発生していた年間３８００時間に及ぶ残業時間も抑制できた。この後、同工場全ラインに波及させていく。

また、関東工場ではドア本体加工ライン以外にＥＣ市場向け木製収納箱の加工も行っている。カイゼン活動に勢いづいた関東工場では木製収納箱ラインのカイゼンにも着手。この２か月程度でやはり同ラインに所属する人員を増員することなく生産台数は倍増している。

同社でカイゼン活動を統括する本社工場長　岩田淳氏は「我が社にはまだまだカイゼンの余地があることを、この半年程度で十分理解できた」と述べている。また同社代表取締役社長　中川正之氏は「今回のカイゼンを聖域なく全社総見直しする術と位置づけ、自社を早期に新たなステージへと引き上げていく」と述べている。

◎ものづくりにトヨタ生産方式（２）

●海外に出るか、国内に残るか

「海外に製造拠点をつくって事業拡大を目指すか、それともこの地に残って粛々と事業を引き継ぐか」。２０１４年、株式会社美山理研工業　常務取締役　水谷允哉氏（当時）を同社に訪ねたときの第一声だった。同社はそれから8年たった今でもトヨタ生産方式を真摯に深耕している。

岐阜県は給排水バルブ・コックの出荷額が全国1位で、その大半の企業が山県市に立地している。株式会社美山理研工業［本社　岐阜県山県市／代表取締役社長　水谷允哉氏／従業員数70名／年商15億円］もそのうちの1社で、1958年にこの地で表面処理（鍍金）事業を手掛け始めて60年を超えた老舗企業だ。しかし今や老舗企業という言葉は似合わない斬新なものづくり企業へと変貌した。

●全社員での3C5S活動と自前DX化

中でも出荷検査工程の品質管理はTier1[4]企業として、発注元の担当者を唸らせる。月1回、工場稼働を1日中停止し、全社員が終日工場保全やカイゼン活動に励む3C（Clean-Clear-Creative）5S（Seiri-Seiton-Seiketsu-Seisou-Shitsuke）活動はスタートして8年が経過した。もうすぐ100回目を迎える。70名の社員が100回にわたってカイゼンや5S活動に向きあったわけだから、延べ人数にすると7000名がこの活動に参画した計算になる。

また水谷社長はベトナムからの外国人実習生向けのベトナム語での社内報も発行し、会社の理念やカイゼンの推進状況の理解、従業員同士のコミュニケーションを育んでいる。その結果、月1回の３Ｃ５Ｓ活動後に行われる会社全体でのカイゼン発表会では、ベトナム人実習生が直接日本語でカイゼン発表ができるようになった。

遅々として進まない中小企業のＤＸ化に関しても、同社は受発注から製造現場への生産指示、出荷伝票発行までの一連のいわゆる生産管理システムを結局社内で開発してしまった。その開発者はもともと旧ソニー美濃加茂で派遣社員として勤務、カイゼン活動に携わっていたが、２０１３年３月の工場閉鎖の憂き目に遭い、当時、美濃加茂市がＪＰＥＣに委託していた緊急雇用対策事業で約1年間、私の下でカイゼンを学び、その後美山理研工業に正社員として入社した同社　生産管理課長　荻原浩之氏だ。彼はもともとＩＴ技術に明るく、かつ私の下で約1年間カイゼンに奔走した結果、Windows-Office に搭載されている基本的なソフトで器用に私の生産管理のイメージをプログラム化してしまった。今ではその生産管理システムにはサイボウズ社が開発したソフト、キントーン[5]をコラボ、検査工程に配属されているベトナム人実習生も普通に使いこなしている。また新規顧客が来場した際の会議室の大型モニターには会社紹介に加えて、工場内の生産進捗状況などがリアルタイムに映し出される。同社に表敬訪問する新規企業は、そのほとんどがこうした現場に安心して、後日、発注書を送付してくる。会社は規模ではない。中身だと思う。

こうしたＤＸの内製化により、当初同社が大手のシステム開発専門会社から提出された数千万円の見積もりは全く不要となった。私はこの美山理研工業の一連のカイゼンとＤＸ化から、中小企業のＤＸ化が進まない現実を目の当たりにした。

[4]…ティア1（Tier1）とは一次請けという意味があり、自動車業界では完成車メーカーに直接部品を供給するメーカーを指す。
[5]…既存システムなどを活かし、職場内で自由に開発したソフトのＤＸ化を可能にする簡易ソフト。

●安価で大量の注文よりも一品一様の注文

こうした一連のカイゼンに加えて、水谷社長は高付加価値な表面処理技術の研究やそのマーケットをいつも探し求めてきた。「フェラーリのエンブレムを我が社で……」が水谷社長のたくさんあるゴールの一つだ。こうした発想のきっかけは、大量生産型の巨大な鍍金ラインではなく、「テーブルの上に乗るくらいのコンパクトなセル型鍍金ラインの独自開発を」と話した私の何気ない一言からだった。水谷社長はその後の機械メーカーとの約2年の研究の末、極めて小ロットながら多彩な色を着色できる「特殊鍍金ライン」の開発に成功。現在そのラインはフル稼働状態となっている。

さらに同社の工場内には、巨大な２本の「量産鍍金ライン」と新規に開発した「特殊鍍金ライン」の脇に、複数の小さな鍍金槽がひっそりと並んでいる。実はこの鍍金槽たちは一品ずつ原始的に手作業で鍍金ができる「手づくり鍍金ライン」なのである。この「手づくり鍍金ライン」は一定の職人技が必要で、同社でもこの工程をこなせる従業員は限定される。同業他社では「こんなラインは非効率だから……」とほとんど保有しなくなったそうだ。ゆえにこの原始的な「手づくり鍍金ライン」にも全国から一品ずつの注文が殺到している。こうした稀にみる「特殊鍍金ライン」や原始的な「手づくり鍍金ライン」にもカイゼン視点を導入、ＤＸ化も図った。株式会社美山理研工業は新旧のノウハウが融合された特別な工場へと生まれ変わった。

●水谷社長の遊び心と先見性

水谷社長は遊び心も忘れていない。今年になって社内の食堂が〝カフェテリア〟に変身した。また社内にアスレチックジムやシャワールームも誕生、働く人々にも快適な空間となった。新設したカフェテリア、アスレチックジム、シャワールームには同社で色塗られた数々の部品がいたるところで光り輝いていて、ショールームとしての役割も担っている。アップルのような会社になりたいとの水谷社長の想いからだ。

トヨタ生産方式をスタートさせたころの同社の年商は６億円ほどで、直近では２・５倍の売上げとなったが、従業員はさほど増えていない。

完成車メーカーに追従し、海外の製造拠点を建設した同業の中堅他社が経営不振に陥っているると聞く。「岐阜の地に残り、粛々と事業を引き継ぐ」。8年前の水谷社長の決断が今は業界内で快勝した。「ものづくりはひとづくり。全社員が家族。仕事は基本を忠実に。そしてちょっとした遊び心も」が水谷社長の口癖だ。

◎水明館にトヨタ生産方式

カイゼン現場に立ち会う瀧社長

「水明館をカイゼンしてみませんか」十六銀行　元専務取締役　小里孝氏と共に、日本有数の温泉旅館　株式会社水明館［本社　岐阜県下呂市／代表取締役社長　瀧康洋氏／従業員240名／年商40億円（2018年実績）］代表取締役社長　瀧康洋氏を訪れたのが、2017年9月だった。瀧社長は即時、私が独自に開催していた「カイゼン推進者養成プログラム」へ同社から2名を投入。翌2018年1月から同社の本格的なカイゼン活動をスタートさせた。

水明館には全部で２６４室の客室と23室の宴会場がある。圧巻の朝陽の間は最大６５０名を収容できるコンベンションホールだ。その一方でバックヤードには日本最大級の温泉旅館のサービスを提供していくための備品や素材、設備が所狭しと置いてあった。従業員はその間を縫って小走りに業務をこなしていた。

●水明館のプライド

水明館で働く従業員には老舗旅館スタッフとしてのプライドがあった。事実、水明館には一流ホテルなどで経験を積んだ一流のスタッフたちが多く働いている。水明館へやってくるお客様は、彼らのその一流のおもてなしや一流の癒やしを求めて国内外からわざわざ下呂の地までやってくるのだ。彼らにはこれまで長年にわたって培ってきた自分たちの仕事の仕方や考え方がある。そしてそれはすべて正しいのだと腹の底から思っていたに違いない。ましてやこうしたサービス産業の頂点に立つ水明館の業務内に、自動車業界で形作られた考え方や手法を持ち込もうとすること自体が奇怪で、活動当初、社内から猛反発があったことは容易に想像していただけるだろう。事実、活動開始当初はカイゼンに対してなかなか理解が得られなかった。

●コロナ禍こそカイゼン

それでもカイゼン活動を始めて半年から1年経ったころ、やっとダイニングレストランや客室清掃作業などでカイゼンの成果が出始めた。そして2020年のコロナ禍に突入、客足はぴたりと途絶えた。ここで瀧社長の決断は速かった。「いまカイゼンをやらずしていつやる？お客様がこない今こそ全社総見直しし、トンネルの出口に向かう」。瀧社長のこの決断と考えに全社が身震いし、このコロナ禍に猛烈なカイゼンが繰り広げられた。

お客様が使うアメニティグッズ[6]や各所で使うドリンク、リネン[7]など、館内のありとあらゆる在庫の持ち方、使い方を徹底的に見直した。その結果、外部倉庫を1棟減らした。また館内にあった冷蔵庫や温蔵庫も減らされ、水明館のバックヤードはカイゼンをスタートさせた当初のぐちゃぐちゃだった景色はもう消えている。ハイシーズンの朝食バイキングは、一気に殺到する宿泊客で長蛇の列となっていた。しかし今ではまったくウエイティングがないし、なおかつ残業時間もなくなった。客室清掃作業は、セル作業の考え方に徹してカイゼン。客室清掃作業の一人当たりの生産性は倍増したし、クレームも激減した。客室から排出されるありとあらゆるゴミやリネンの物流導線も見直したし、外部倉庫で行われていたゴミ回収後の選別作業も廃止した（もちろん下呂市の条例に従い、分別はされている）。6か所ある大浴場の清掃作業方法も見直した。地下室にある巨大な温泉配給設備の点検作業も見直した。

この５年間で進めた水明館のカイゼンテーマは記録できているだけでも１２０にのぼる。

[6]…宿泊施設（ホテル、旅館、その他）で用意される宿泊客専用の客室設備の総称。
[7]…ホテルや病院などにおいて、シーツ、枕カバー、タオル、テーブルクロスなどの布製品の総称。

●観光政策とトヨタ生産方式

こうしたカイゼンを積み重ねた結果、これまで外部委託していた客室清掃作業、食器洗浄作業、広大な館内の廊下やお手洗いなどのパブリックスペース、宴会場、コンベンションホールの清掃作業など、すべての清掃作業を内製化することに成功した。約２億円／年の効果となった。また好業績だった２０１９年コロナ前と比べ、２０２２年９月時点で売上げ85％ダウンながら利益は３％アップ、減収増益となり、同社はコロナ禍のカイゼンで経営体質を大きく変化させた。瀧社長は「会社が大きくなっていくにつれ、業務が細分化され、分業されていった。もともと清掃作業も全て自前でやっていた。それなのにいつの間にか、何かの理由で外部委託されてしまい、大きな壁ができ、組織や業務が分断、収益率は落ちていた。お客様はファミリーで来ていただける。社員もファミリーでなければならない」と語っている。

瀧社長はこれまで全国に先駆けてＤＭＯ[8]を精力的に推進。業界では「日本版ＤＭＯはすなわち瀧流ＤＭＯ」だと称されている。観光地への誘客数は、下呂温泉が草津温泉と常に首位争いをしている。瀧社長は「私が進めてきたＤＭＯとカイゼンが日本の観光地を変えていくはず」とこの先の日本の観光政策を眺めている。

[8]…観光物件、自然、食、芸術・芸能、風習、風俗など当該地域にある観光資源に精通し、地域と協働して観光地域づくりを行う法人・組織。Destination Management / Marketing Organization の略。

◎ものづくりにトヨタ生産方式（3）

●スモールビジネスにトヨタ生産方式

「経営難で困っている社長がいる。一度、見てきてあげてくれませんか」２０２０年7月17日、水明館のカイゼンが前に進み始めたころ、瀧社長から創業１００年を迎える下呂市内老舗企業　下呂印刷株式会社［本社　岐阜県下呂市／代表取締役社長　千田純弘氏／従業員数14名／年商1億円）］を紹介された。時代の趨勢から、紙媒体の需要がただでさえ激減する中、新型コロナウイルスは、宿泊施設などからの印刷物の発注を止めていた。うな垂れ、凝り固まった同社千田社長と共に歩いた印刷工場内は紙在庫の山、停止したままの高性能な印刷機があった。

「これからお願いすること全てを（素直に）聞いてください。蘇生できるチャンスはまだあります……」。カイゼン活動をスタートさせた。

●紙在庫は何枚ありますか？

一般的にカイゼン活動では「２S（整理・整頓）のうち『整理』とは捨てることなり」と習う。同社内にそびえる膨大な紙在庫をこの定説通り捨ててしまえば、決算書のバランスを崩し、即時倒産となりかねないだろう。同社は借り入れもままならないこの時期、この事態に目前にある膨大な紙在庫となっている経営資源をまさにお金に〝刷り替える〟ことが命綱だった。同社への第一声は「（今ある）全ての紙在庫を数え直すこと。そして紙の発注を全て止めること」だった。

「何枚くらいの紙在庫があると思いますか？」「多分5万枚くらいかな……」。紙在庫がどれだけ自社のキャッシュフローを阻害し、経営を悪循環させていたことか……。千田社長はこのあと数十年ぶりの経常利益を計上するまでは、このセオリーを理解できていなかったはずだ。「この紙在庫全てが紙幣で、下呂印刷が造幣局だったらなぁ～」などと、ジョークを飛ばしても、ピクリとした笑みさえ浮かべてくれなかった。

人間味あふれる同社千田社長は私の第一声「紙の発注を全て止めること」をなかなか聞き

入れてくれなかった。自社よりも仕入れ先を優先しようとする心優しさがにじみ出ていた。

それには理由があった。経営者には企業規模の大小を問わず事業に対する厳しさと一緒に働く人々への優しさ双方が求められる。近く創業100年を迎える老舗企業には語りつくせない紆余曲折がたくさんあった。そのなかでも特に厳格な先代との溝は深く、千田社長は心に大きな傷を負っていた。千田社長はその傷を従業員や取り引き先、仕入れ先に優しくすることで癒やしていたように私には感じられた。しかし残念ながらその千田社長の心の優しさが事業運営には仇となっていた。

そんな中、同社スタッフとともに社内にある膨大な紙在庫をひたすら丁寧に1枚1枚数えはじめた。同社幹部3名と弊社スタッフも追加して投入。結局約1か月を費やし、数えだした答えは千田社長の想定枚数の8・4倍の約42万枚だった。

紙質やサイズ別に丁寧に整理された紙在庫はその一覧表の中から、早速受注している物件の素材として引き当てていった。また紙原料倉庫奥や社屋2階に眠っていた在庫はわざわざ印刷機周辺に引っ張り出し、印刷作業の邪魔をさせた。営業スタッフには、紙質にこだわらない顧客との折衝を上手に進めるよう徹して促した。紙在庫を徹底的に利用していった。

●手作業がセル生産方式を創り上げた

日本の印刷業界は大手企業約20社と約2万社の中小零細企業がひしめいている。市場規模は3兆円ほどで年々減少、中小零細の印刷事業所数も減少の一途をたどっている。岐阜県下の印刷業においてはこの約10年間で、製造品出荷額が約990億円から約850億円に、事業所数は約320事業所から約210事業所に減少している。[9]

この業界のものづくりも未だ大量生産方式を採用しているはずだ。その結果、大ロットの受注でないと利益が出ないと考え、価格競争著しい業界を構築、この大量生産型の経営スタイルがやはり業界を麻痺させている。同じ印刷物を何万枚、何十万枚と連続してこなしていく必要があった大量生産時代には、この生産方式も力を発揮していたかもしれない。しかしこの造り方やこの思考法は今や残骸でしかない。この説明は後述する。

人口減少が進む下呂市内からの印刷物の発注や、団体客から個人客へシフトしようとしている観光産業からの発注も、例外なく大ロットでの受注は数えるくらいしかない。実際、同社で取り扱う受注は、小ロットで依頼される印刷物が大半だった。こうした中、かろうじて下呂印刷には古くからある手作業に近い機械設備が現役で動いていた。特に印刷後の断裁工程や折り工程、綴じ工程などにはフットペダル付きの機械や手動の機械が活躍していた。大手印刷業者であればこれらの工程は高性能な設備に自動化され、設備投資に見合うことがない小ロットでの受注は受け付けたくないはずだ。

こうした事業環境を下呂印刷は上手に使いこなしていなかった。同社の現場では小ロットの複数の注文を、大ロットでの生産体制と同様にそれぞれの工程ごとにまとめて加工していた。その結果、各工程間には仕掛品が山のように積まれ、それでも現場で働く従業員たちは、常に納期遅延の恐怖感に苛まれていた。

そこで下呂印刷では同社で取り扱う製品ごとの工程を整理し、その順序に各設備のレイアウトを大幅に変更し、各設備を近接化した。なおかつ印刷工程以降の作業方法は、各工程を経て梱包するまでを1物件ずつ一気通貫で加工するセル生産方式を採用、物件単位で生産する体制に切り替えた。その結果、各工程間にたまっていた仕掛品はなくなり、工場内に広大なスペースと通路が確保され、印刷後1日というシンプルで、明確で、誰にでもわかる短納期での加工スタイルへと変化した。

[9]…岐阜県工業統計調査より。

●下呂印刷の印刷機は宝の持ち腐れ

トヨタ生産方式では、高額な投資を必要とする高性能な機械設備は、高度な付加価値を生むか、または昼夜止めることなく動かし続けるかのどちらかを求める。

下呂印刷の工場内にも高額で購入した印刷機が据え付けられていた。この印刷機は高額ではあったようだが、印刷技術が日進月歩しているこの時代、高性能かどうかは見分けられなかった。ゆえにこの印刷機の稼働率を考える場合には昼夜、つまり24時間を分母とし、実際に稼働している時間がどれくらいあるかを計算する必要があった。1日24時間のうちいったい何時間生産加工に費やしているかで稼働率を割り出す必要があったのだ。

千田社長は、この印刷機メーカーから提示されている取扱説明書を探し出し、印刷機を連続稼働させた場合の時間当たりの印刷枚数と、直近の印刷実績枚数を整理し比較した。その結果、せいぜい8%と算出され、印刷機メーカーから提示されている生産能力には程遠い枚数しか加工されていない実態が明らかになった。

この事実は下呂印刷の受注している物件自体が少なくなっていることに加え、時代の流れで印刷機の段取り替え作業が多発する、1物件当たりの生産枚数が少ない、いわゆる小ロットの物件に切り替わっていることが明確だった。宝の持ち腐れ状態だった。

印刷機の稼働率を落としている要因は大きく2つあった。ひとつは印刷機の生産能力に対して受注が極めて少ないこと、それから印刷機の段取り替え作業に多くの時間がかかっていることだった。前者はこの業界の事業環境とコロナ禍に鑑み、すぐに回復させられるものではなかった。後者は今すぐにとりかかれるカイゼンだった。

そこで印刷機に携わる鎌倉氏とともに印刷機の段取り替え作業のカイゼンに着手した。具体的には版の取り替え、色替えの段取り時間をそれぞれ丁寧にみえる化し、千田社長や若手幹部も加わり、どうしたらもっとムダなく段取り替え作業がスムーズにできるか、知恵を絞った。結局、段取り替え作業時間はカイゼン前20分からカイゼン後9分まで短縮された。この印刷機の段取り替え時間短縮の効果は、印刷機の稼働率向上はもちろん、少量枚数の物件、すなわち小ロット物件にも対応できる印刷現場の力に繋がっている。

この印刷機以外にも、メンテナンスされないまま放置されている封筒印刷機や、芸妓さんや舞妓さんが使う金色の縁取りが入った高級な名刺を印刷できる専用機も止まったままだ。これらの設備も順次稼働させていく。

●物件打ち合わせ回数のカイゼン

印刷物を注文すれば、商品のデザインや誤字・脱字など、複数回にわたって印刷業者との打ち合わせ作業が発生する。この打ち合わせ作業が滞り、顧客側と印刷業者との間で商品の整合性がとれないと顧客は納得しない。

下呂印刷でも印刷物は営業スタッフが受注、その後プリプレス部が引き継ぎ顧客と直接、または営業スタッフを介して商品の出来栄えを打ち合わせていた。

製品の打ち合わせは、顧客の都合に合わせて予め顧客とアポイントメントをとって対面形式で行っていた。デジタル化の時代ではあるが、下呂印刷としては、紙質や細かなデザインは、直接顧客の目と肌触りで確かめてもらうことを基本としていた。そうするとどうしてもローカルな地域では市街地と違って、隣町のなおかつ山間部までの道程は長く、半日仕事となっていた。しかし、少額の物件でもこのこだわりは捨てたくはないと千田社長は考えていた。

それでも打ち合わせ回数を整理してみたところ、1物件当たり平均3回、物件によっては7回も打ち合わせを行っていることが判明、高コストな作業となっていた。

そこでいかに顧客のニーズを一発で把握し、初回提示で手直しすることなく、次の工程である印刷作業に取り掛かれるようになるかをカイゼン課題にした。

具体的なカイゼン内容の説明は控えるが、結果、打ち合わせ時間を一日当たり約4時間短縮することに成功した。少ない従業員で事業を営む小規模事業者の一日当たり4時間は重大で、同社は更なる販路拡大のためにこの時間を活用している。

●劣勢の印刷業界「もう会社を閉めたい」から3年で大逆転

これらのカイゼンを筆頭に千田社長は従業員とともに日々試行錯誤、現場を変え続け、約3年が過ぎた。そして久しぶりに千田社長から着信があった。「全従業員に決算賞与を払えることになりました……」。

この上ない嬉しい吉報に即時同社を訪問。千田社長が私に示した決算書の表紙には、過去10年来の同社の売上げと経常利益が記載されていた。売り上げはこの10年で30％ほど下落、経常利益はそれに伴い連続赤字を計上、スモールビジネスにありがちな役員報酬を削り、運転資金に充てている状態がバレバレだった。

しかし、カイゼンを始めた瞬間から2年間は黒字決算を計上、3年目の今期はこれまでの繰越損失を一気に返上できるほどの最高益となった。減収増益の経営体質となり、明確なカイゼン効果と言えた。ペーパー離れが進み、コロナ禍で受注が落ち込み、さらにエネルギー、材料費高騰の波が押し寄せているこの最中にだ。

下呂印刷のカイゼンでは、こうした経営的な数字上の成果だけではなく、カイゼンの副産物も創出できた。例えば印刷現場がスリムになり、作業に精度が増したことは、印刷ミスやクレーム減に繋がっている。また膨大な在庫に活用していた収納棚は20本以上も廃棄したし、同社のビル棟ワンフロアが空きスペースとなった。さらには紙在庫の下に眠っていた大正・昭和の時代に活躍した活版印刷の版は、カイゼン活動を進めていく中で〝発掘〟されたもので、業界遺産としても価値があるはずだ。また下呂印刷の小ロットに対応できる力は、大口の取り引き先に対しては、顧客側の印刷物在庫の抑制にもつながっている。

Before

After

Before

After

下呂印刷ではこうしたカイゼン成果を既存事業のマーケット拡大に転用するだけでなく、次なる事業の構築に活用しようとしている。

千田社長は今期の決算書を以下のように記載し締めくくった。

「スタッフの前向きな姿勢と技術向上の努力はもちろんですが、カイゼンの取り組みの中で、いろいろなムダを排除するよう心掛けてきたこと、過去から在庫となっていた印刷用紙を優先的に利用したこと、製品が仕上がる過程の中で、モノが停滞することなく、受注から納品までの時間（リードタイム）が短縮されるようになり、スムーズに業務が流れ、ムダな時間を省けるようになったことが、

カイゼンで“発掘“された昭和時代に
活版印刷で使用した活字

この結果に繋がったと考えられます。

カイゼンの取り組み課題は永遠にありますが、一つひとつできることから解決して業務に集中できる環境づくりを行えば、確実に利益に繋がること、今期が特別な利益なのではなく、これが通常な成績であることと信じ、慢心することなく頑張っていきたいと思います」

下呂印刷のホンキのカイゼンはこれから始まる。

◎下呂市にトヨタ生産方式

岐阜協立大学大学院主催「トヨタ生産方式とカイゼンリーダー養成プログラム」は２０２1年1月の初開講以降、下呂市内の24社（民間企業17社／非営利組織7社）、58名が修了している。またこれまでの修了者が各社、各職場で創出したカイゼン成果は1億９８７５万４２４７円／年となっている。今後もさらに拡大していく。

下呂市の年間の商品販売額（卸売・小売販売額）は５０９億円、製造品出荷額は５７０億円となっている。人口は３万３６５人（２０２２年8月）で、年々著しく減少している。雇用を維持・促進し、活力ある町の産業経済を構築するには、各企業組織がスクラムを組んで生産性を上げ、人口減少の流れを食い止め、反転攻勢するしかない。人口が減少していく中でもカイゼンし、いかにその余力で各社、各組織が強くなれるか……である。この話題は下呂市で開催している「トヨタ生産方式とカイゼンリーダー養成プログラム」の特別講義の中で伝え続けている。

以下に本プログラムを修了した人々の所感を記してみる。

●下呂市にカイゼンの輪を広げろ

「私の生まれ育った下呂では人口減少、少子高齢化あるいは貧困化が進んでおり、消費を促す要因は減り、企業の経済活動にとっては決して恵まれていません。地方の町が元気になるために企業の継続発展はとても重要で、企業にとっては利益を生みだすことが急務です。今回カイゼンに出合い様々な事案により原価を低減し、企業が元気になっていく手法を学びました。私はカイゼンの入口に立ったばかりですが、少しでも多くの企業にカイゼンを導入するきっかけづくりができたらと思います。そこには企業が、人が、町が元気になる姿があり、楽しい暮らしが待っていると思います」

「本プログラム初日にあった下呂市・岐阜市・豊田市などとの所得差グラフが最も印象に残っています。つまり下呂市経済は成長していないどころか今後の少子高齢化の時代をみると退化していく一方である現実を突きつけられました。企業は継続的に利益を上げ続けるために存在し、その手法としてカイゼンがある。もはやカイゼンは世界共通用語となっている。下呂市全体でカイゼンに取り組み、1社ずつのカイゼンを点のカイゼンとするならば、関連会社双方にもメリットがあるような線のカイゼンへと浸透させていけば所得格差のグラフにも変化が現れてくると思います。そのためにはまずは自社の現場のムダを発見し、カイゼンへと導いていきたいです」

「カイゼンの原点にあるのは『働く人の作業を楽にしたい』『もっと時間を有効に使えるようにしたい』という思いがあるこ

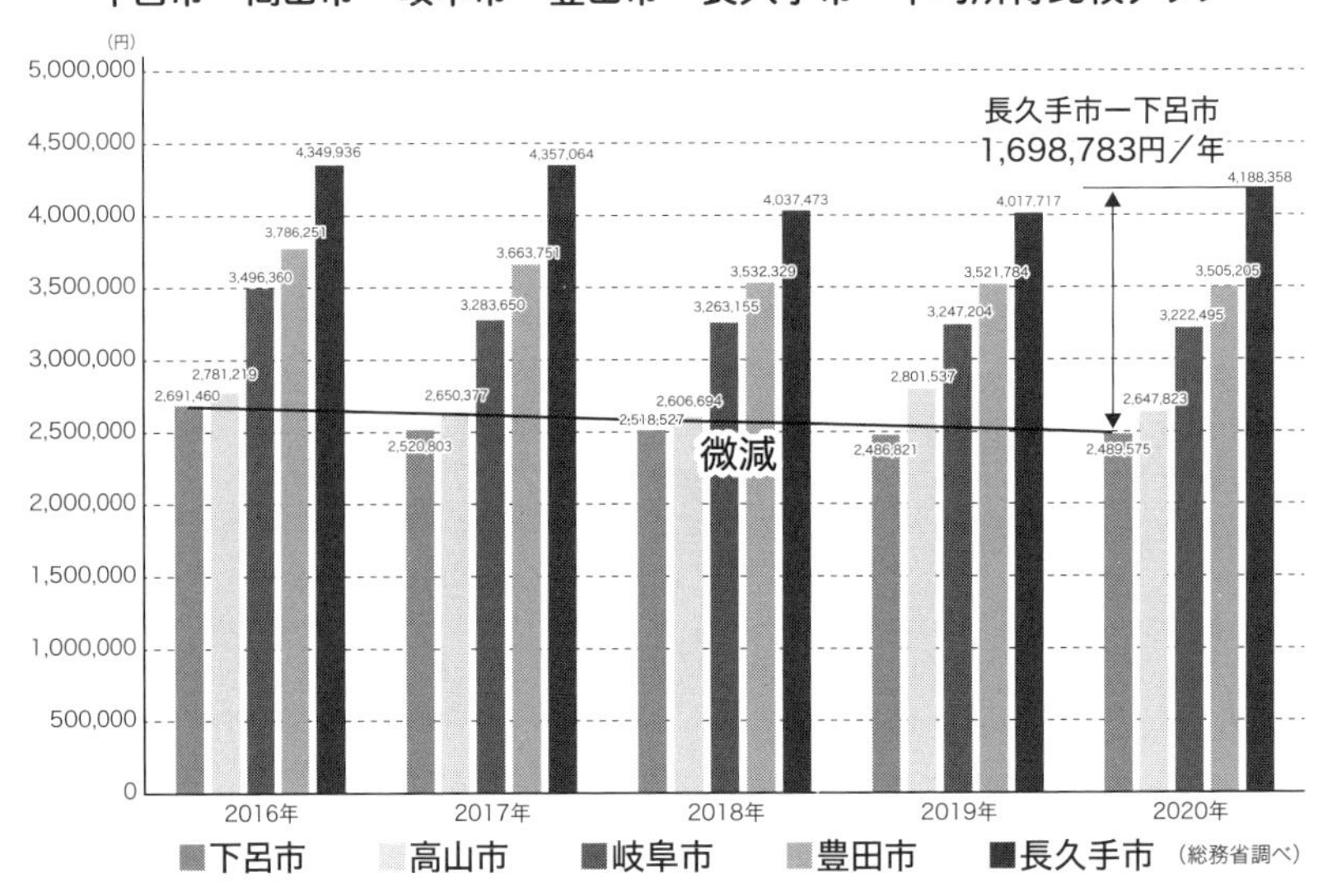

とを知り、働きやすい職場をつくるためにカイゼンに取り組みたいと思うようになりました。カイゼンにより生まれた時間や人を会社の価値ある資源として生かす方法を考えたり、新たな製品やサービスをつくったりして、顧客の価値として生まれ変わってほしいと考えるようになりました。まだ下呂市にはその余地がたくさんあることを理解しました」

「今起こっているコロナ禍でどう自分たちが生きていかねばならないのか、世界経済は悪化しているばかりでなく、収入を増やしている国もあると聞く。トヨタ生産方式に倣い、自分たちの仕事の仕方を変えていき、そこに生まれる活人によってよりよい下呂市にしていきたいと考えるようになりました。収入が増え、人口減少にも歯止めがかけられたらそんな素晴らしいことはないと思うようになりました。社会貢献とはいろんな形があるが、仕事をしていく中でそのようなことができたら本当に良いと思う。新型コロナウイルスで仕事はかなり減ってしまった。そして今後もコロナ前のようにはすぐには戻らないと思う。自分自身が変わろうとしなければならないということが、この講座を通じて最も心に残ったことだ」

●下呂市のリーダーがカイゼンを推進

目下、下呂市は「下呂温泉観光関連事業を中心とした生産性向上とＳＤＧｓ化推進事業」

を推進している。その事業には岐阜協立大学大学院の「トヨタ生産方式とカイゼンリーダー養成プログラム」が組み込まれ、商工会経営指導員や観光関連団体事務局長、下呂温泉合掌村職員などが受講。製造業、サービス産業などの民間企業の枠を超え、下呂市全体にカイゼンを浸透させようとしている。また民間企業同士は、自動車業界でいうサプライチェーンを構築。下呂市内にある旅館やホテルへ資材や食材を提供したり、電気工事や水道工事などの業務を請け負ったりする企業との受発注業務の簡素化、DX化、サプライヤー同士の物流の簡素化や旅館・ホテルなど各施設の設備トラブルの低減、カイゼン思考による施設設備のトラブル未然防止策の開発、旅館・ホテル同士の経営資源（カイゼンで創出された設備や機材など）の相互流用など、公的機関主導だからこそできるカイゼンを進めている。

●旅館・ホテルとサプライチェーン

その中でも株式会社日晴リネンサプライ 下呂工場［本社　岐阜県高山市／代表取締役社長谷口吉則氏／従業員数89名／年商6億円（2019年実績）］と市内各旅館、ホテルとのサプライチェーン構築を狙ったカイゼンを紹介する。株式会社日晴リネンサプライ 下呂工場は下呂市内の旅館・ホテルや病院、介護施設などのリネンを同工場内でクリーニングし、再び各所に届ける事業を生業としている。

近年、各旅館・ホテルはサービスの一環として、多様なリネンを使うようになった。浴衣はその代名詞だし、シーツや枕カバーなど、同じ旅館でも客室のグレードが異なれば、形や質も相違する。当然、工場内では形や質が異なるリネンごとに数名の従業員が一日中、ひたすら仕分け作業をすることになる。またシーズンごとやWeekday-Weekendで大きく異なる来場者数に合わせて、柔軟なデリバリーが求められる。結果、工場内では最大受注数に合わせた人員配置や運搬に使うハイエース、カゴ車などの物流機材を抱えてしまっていた。

また旅館やホテル側は、発注するリネンがどのような工程を経て、自社に届くかを知らない。近くのクリーニング店に自分のワイシャツやスーツを出すように、朝に届ければ、その日の夕方には出来上がってくるといった感覚でいる。よって、日晴リネンサプライ側は急な追加発注にも応えていかねばならない。その結果、同社のハイエースが市内をブイブイうなり上げて走ることになる。このような事態をなんとか回避しようと日晴リネンサプライ側、旅館・ホテル側双方は、結果的にトータルで膨大な在庫を抱えてしまっている。残念なことに、顧客が途絶えたコロナショックの２０２０年、倉庫内に眠っていたこうした膨大な在庫にカビが発生、結局すべての在庫を廃棄せざるを得なくなってしまったようだ。観光産業を主要産業に位置付ける下呂市全体から見れば、なんとムダで残念なことか。民間企業と民間企業の狭間で巨大なムダが発生し、莫大なエネルギーを消費している。私たちはこうした産業社会の中で生きている。

●カイゼンなきDX化

一方で下呂市の旅館・ホテルはDXブームに先行したIT化で、大小様々なデジタル機材を保有している。それらの機材にはこれまでのあらゆる情報がデータとして存分に残されている。いつどの旅館、どのホテルがどのリネンをどれくらい注文したかなどである。またどの旅館、どのホテルがどのリネンをいつ、どれくらい注文したかといったデータは当然、サプライヤーである日晴リネンサプライ側でも把握している。しかし実際はこれらのデータが各ホテル・旅館内のみで、またはサプライヤーである日晴リネンサプライのみで活用されるにとどまり、双方の整合性がないままの単独で活用されてしまっている。旅館・ホテル側が保有しているIT機材やその中のデータ、サプライヤーが保有しているIT機材やその中のデータ双方が分断され、整合性がとられないまま、毎日の受発注業務やデリバリー業務がなされているのだ。

そこで、日晴リネンサプライと、現在カイゼンに関心がある下呂市内の複数の旅館・ホテルは、双方の個別情報を上手に活用し、フォーキャストデータ（発注予測情報）に変換し活用している。こうしたカイゼンにより、旅館・ホテル側からの追加発注やそれに伴う追加便による納品業務が激減した。

またサプライヤーである日晴リネンサプライはいったいいつ、どんなアイテムのリネンを、どれだけ発注されるかわからない戦々恐々とした中での毎日の工場稼働といったストレスからも解放された。さらにこのフォーキャストデータは、日晴リネンサプライ側の工場の生産計画や従業員の勤務シフト組みが先々まで見通せるようになり、それに伴い、工場稼働率アップや勤務シフトのスリム化が図れた。

このようにカイゼンを始めたばかりの企業には、それほど高度なデジタル化は無用だ。既存のＩＴツールやシステムのみで、受発注側双方の業務は楽になり、サプライヤー側の従業員の受発注に関する心理的不安も取れてくる。とりわけ高度なＩＴ人材に枯渇する中小企業は、まずは既存のＩＴツールをトコトン使いこなし、いきなり高度なＤＸ化を考えないことだ。

私は常々、地方の企業、特に中小企業へのカイゼンなきＤＸ化は時期尚早だと語っている。それはこのように既存の簡易なデジタル機材やデータ、ソフトウェアでさえも使いこなしていないことにある。補助金を投入してまでの先進的なＤＸ化は、ときには現場を複雑化し、混乱させ、高コスト化させる。中小企業のＤＸ化はカイゼンをもっと学んだ後にしてほしい。

●経済団体、行政機関が主導するカイゼン

こうしたカイゼン以外にも旅館・ホテルによってマチマチなリネンの納品タイミングや納品場所、納品方法のカイゼンにも現在取り組んでいる。組織と組織の狭間で出ているカイゼン課題こそ、行政機関や経済団体などが主導、カイゼン課題として取り上げ、課題解決に勤しんでほしい。

どの旅館やホテルでもSDGsを掲げている。しかしその裏ではこのような膨大なムダが発生し、CO_2排出量を増やし、エネルギーを浪費している。更に民間企業同士の狭間で発生しているカイゼン課題以外にも、官民がスクラッチとなってしまっている事業や組織、業務は市内にいくつかある。組織と組織をカイゼン視点で上手につないでいくことで、街全体の生産性は飛躍的に上がり、膨大なムダが取れていく。

下呂市長　山内登氏は「カイゼンは民間企業だけでなく、公的機関も学ぶべきところがある。カイゼンを下呂市に広げていく」と強く述べている。人口減少の流れの中、力が弱い地域は、ますます格差がつく。下呂市がその流れを食い止め、反転するモデルになってほしい。

第2章　なぜ、いまトヨタ生産方式か

◎多様化時代とトヨタ生産方式

グローバル化した世界各地では、このところ専制主義国家と民主主義国家との勢力争いが続いている。私たち民主主義国家は専制主義国家のように価値観を強要したり、一人ひとりの考え方や生き方を強制したりしないし、そうあってはならない。当然、マイノリティーも大切にされる。その結果、国民の価値観は多様化している。そのなかで民主主義国家の産業経済はいかに生産者側が一人ひとりに合った製品やサービスを提供し、一人ひとりに合った働き方ができるかが試されている。だから民主主義国家の産業社会の方が鍛えられて当たり前だ。

モノ不足時代の産業経済、高度経済成長期の産業経済は今の時代ほど複雑ではなかったはずだ。画一的な商品やサービスの提供で顧客は満足し、企業経営も潤った。労働集約型の量産工場が日本国内にもあちらこちらにあり、単純作業だけでも経営が十分成り立った。その結果、カリスマ経営、ワンマン経営でも事業は成功した。その時代のコンサルティング自体も今ほど複雑ではなかったはずだ。

しかしその時代はとっくに過ぎ、モノや情報が飽和状態になっている成熟化した社会になった。これからさらに価値観が多様化していく民主主義国家では、国民一人ひとりが豊かに暮らせる産業経済の構築が必要になっている。その結果、ニーズは細分化される。顧客一人ひとりのニーズに合った製品やサービスを提供できる、すなわちカスタマイズされないと、販売のチャンスを逸することになる。モノをつくる側・サービスを提供する側となる生産者は、何としてでもそれに応え、事業を成り立たせようとする。だからワンマン経営ではなく、全員営業、全員経営が求められる。経営者はもちろん、働く一人ひとりが学び・考え、そして経営者マインドを持つ必要があるのだ。

ここにトヨタ生産方式を真剣に学ぶ価値がある。そしてトヨタ生産方式を実行に移していく価値がある。それはトヨタ生産方式では、これまで慣れ親しんだ大量生産・大量消費・大量廃棄システムに蔓延るムダを徹底的に排除し、その余力で顧客一人ひとりに合った、よりきめ細かく、より丁寧で、本当に価値ある製品やサービスの提供ができる職場や企業組織を創り上げることを目的としているからだ。そして現状に留まらず、企業組織が継続的に価値を高め続け、価値ある産業社会を創り上げようとしているからだ。

●企業組織とトヨタ生産方式

顧客の要求がきめ細かくなれば、つくる側・サービスを提供する側の組織は、それに伴い毛細血管のように細分化されていく。それに対応しようとすると、今のままではコストや組織は結果的に肥大化する。それでも企業組織は永続的に事業を営む利益確保が必要となる。大量生産・大量消費・大量廃棄型の社会システムのまま、カスタマイズされた製品やサービスを提供しようとすれば、その企業組織はコストが増大し、組織が肥大化するということだ。

トヨタ生産方式では、まず仕事の始まりから仕事の終わりまでの流れを、カスタマイズされた製品やサービスごとに細かく小さな流れで追うことを教えている。人の体に例えて話すと、大動脈から送り出された血液が毛細血管を経て、また大静脈に帰ってくるまでの一連の流れだと受け止めていただいてよいと思う。大量生産・大量消費・大量廃棄型の社会システムの場合は、大動脈・大静脈の役割だけがとても重視された。その一方でカスタマイズされた製品やサービスが求められる時代には、大動脈・大静脈よりも、毛細血管の方が重要な役割を果たす。こうした考え方に至っていないとトヨタ生産方式では企業組織のコストは増大し、組織が肥大化すると教えている。大企業ではない、日本の約４２０万社の企業のうち99・７％を占める日本の毛細血管のような中小企業はここに生きる道があると思う。

また人の体には縦横無尽に張り巡らされた毛細血管には血液がサラサラと流れている。しかし企業組織内の現場では、毛細血管上で仕事が滞ったり、場合によっては血管を逆走しなければならない事態になったりする。人の体であれば、こうしたトラブルがどこかの毛細血管で発生すれば、すぐに痛みを感知する。さらに毛細血管ではこうしたあらゆるトラブルが解決されないまま長年放置されれば腫瘍となり、措置を施すことになる。

組織のコントロールも大切だ。私たちの体は心臓がリズミカルな一定のスピードで血液を隅々まで届けてくれる。リズムがなく、不定期に血液の循環がなされると、健康を害し、人工的な機械設備の支援が必要となる。

更に組織の進化や若返りも大切だ。私たちの体には、デトックス効果もあるし、ヒーリングパワーもある。過去に経験したウイルスには抗い、病気を逃れる免疫作用が必然的に備わっているのだ（新型コロナウイルスはこの概念を人類の歴史上、久しぶりに打ち砕いた）。

このところ栄華を極めたはずの日本のものづくりの品質劣化が叫ばれている。品質劣化に至るまでには、人の体と同様、未然に企業組織のどこかでアラームが鳴っているはずである。現場はその痛みや歪みをアラームで鳴らしているはずだが、日本のものづくりはそれに感知できなくなっている。本社から遠いものづくり現場、外部委託されたものづくり現場や、責任を問うたり、押し付けたりできなくなったものづくり現場、こうしたものづくり現場に関心が薄い経営者たち……などが引き金となっていると思う。実際、現場でカイゼンを進めている最中、明らかに間違った仕事の仕方をしていても「これは手順書にそう書いてあるから」とか「上司や周りの人々が間違いを聞き入れてくれないから」などの声さえ聴く。どんどん多様化する時代のものづくり現場では、こうしたきめ細かな現場の痛みや歪みに対処できなくなっているのだ。

その一方で、こうしたアラームを聞きとろうと、品質管理部などの間接部門に多くの人員を配置したり、ＡＩに依存したＤＸ化を進める企業にも出合ってきた。本当にこれが真の課題解決策といえるのだろうか。

トヨタ生産方式では原因の先にある「真因」を見つけ出すために「なぜなぜ５回を繰り返せ」と教える。表面的な原因の対処だけでは真の課題解決にならないことを教えている。「なぜなぜ５回」は、この言葉のまま海外の製造現場でも通用する。

これからますますニーズは多様化し、細分化され、高度化していく。それと対峙するには、場当たり的に組織や現場に補修を施すだけでは、ただ組織を肥大化させるのみに留まる。日本企業が高コスト化している原因であるとも思う。

大量生産・大量消費・大量廃棄型社会システムの中で築きあげられた組織やその思考法は既に限界に達し、今や多様化する時代に合わせたきめ細かな組織へと抜本的な変革を求めざるを得ない。トヨタ生産方式を学び、実行に移すと、組織にも変革を促す必要性に駆られ、実際に変化させる力を持っていることに気付く。

企業組織はその時代に合わせて進化し、変化していく必要がある。大小を問わずこうした時代の流れに合わせて日々進化し、変化していける企業組織だけが生き残っていける。自然の摂理なのだ。

●トヨタ生産方式を知らない企業組織

トヨタ生産方式を知らない企業組織はどうなっているのか。特に中小企業では、杜撰な管理スペック、滞る組織内縦横の意思疎通、著しく変化する事業環境への柔軟性や創造性の欠如……。これだけ刻々と変化する世の中にもかかわらず、高度経済成長期や、場合によっては創業期からなにも変わることなく、その延長線上のままの組織で事業を営んでいるのが実態ではないだろうか。会社の建物や外観は変化しても、組織のあり方やその考え方は変わっていないのではないだろうか。

多様化する産業社会では、各企業組織、各職場が毛細血管のような流れをつくり上げ、ムダやよどみのないその流れの中で仕事を進められるようにすることが求められる。今日の仕事が明日も明後日も同じまま続くとは限らない。モノのつくり方、サービスの提供の仕方を持続的に変化させていくことが求められている。その結果、各企業組織は、毛細血管のような一つひとつの仕事の流れの中で、より細かく、より丁寧にカイゼンをすることが求められている。

トヨタ生産方式にはその見方、考え方、そしてこの時代の組織のあり方が凝縮されている。だから今こそ業種を問わず大小の企業組織はトヨタ生産方式のフィルターをかけるチャンスだ。トヨタ生産方式を知らない全ての企業組織にトヨタ生産方式が求められている。

●一人ひとりの働き手に合った職場

さらに働く側の価値観やニーズも多様化し、それに伴い働き方も多様化している。〝モーレツ時代〟は同じ時間に出社して、同じ時間に退社、そして同僚たちとまずは駆けつけ一杯となった。今やそんな時代ではなくなった。

一つの会社で働く従業員は正社員ばかりとは限らない。パート社員、派遣社員、外国人労働者、それも国籍がバラバラである。障害者雇用の法定雇用率も上昇した。また24時間営業の店舗では、同じ会社の社員でも誰がいつどこで働いているのかわからないと聞く。

ここにもトヨタ生産方式を学んでいただく価値がある。トヨタ生産方式には「多能工」という考え方がある。この考え方は今サービス産業ではスペシャリスト、ゼネラリスト、マルチスキラーと称され、カイゼン活動を人材育成の一環として進められている。今や一人ひとりがそれぞれ違った能力を十分発揮し、それが評価される仕組みを持てる企業組織への変化が求められているのだ。ましてやブラックな企業組織は若手従事者にも敬遠される。身体を使った仕事が好きな人、頭で考える仕事が好きな人、人と接することが好きな人、淡々とものをつくることが好きな人……。企業組織内の仕事や業務を丁寧に見える化し、働く一人ひとりがその仕事をしっかりこなせるよう、丁寧に導き、そして評価できる企業組織へと変わっていくことが求められている。組織と個人双方が大切にされる時代になったのだ。

顧客のニーズは多様化、高度化し、社内組織は複雑化し、更には働き手の多様化、高度化も織り交ぜられた。企業経営者の悩みは尽きないはずだ。しかし多様化する社会では、これに追従できる企業組織だけが生き残っていくという理屈になる。グローバル化の中で、多様化していく時代のこうした要求に応えられない、変われない職場や企業は、病み、時代に取り残され、やがては消滅していかざるを得ない。だからこそトヨタ生産方式を介して自社、自職場を変えていくことを楽しんでほしい。

●「考える力」

では、多様性が増すこれからの産業社会で働く一人ひとりに求められるものは何か。

カイゼンを推進するコンサルタントとして私が大切にしていることの一つに「答えは教え

ない」がある。

これまで述べてきた多様化、複雑化する産業経済や企業組織の中で、いつもと同じやり方、考え方は通用しない。誰かが持っている答えをそのまま自分の仕事に当てはめていけば、事足りる時代でもないし、指示待ち族の社員ばかりで成り立っている企業組織が、持続可能になるとも思えない。さらにその一方で「考える」必要がない、マニュアル化できる作業や仕事はいずれAIやロボットに取って代わられるか、安価な対価しか手に入れることができない仕事になるだろう。毎日変化を求められる現場や企業組織の中で、そこで働く一人ひとりの「考える力」がとても大切になってくる時代なのだ。

●カイゼンが養う「課題発見能力」「課題解決能力」

ここにもトヨタ生産方式を学ぶ価値がある。それはトヨタ生産方式によるカイゼン活動を進めていくと働く一人ひとりの「課題発見能力」や「課題解決能力」が醸成され、「考える力」が身に付くからだ。トヨタ生産方式ではどんな小さな課題でも働く自らが課題として取り上げ、トヨタ生産方式の手法に則して、働く自らが課題解決に導く。そしてカイゼン成果として金額に換算する。こうした一連の流れを経て、課題解決できた暁には、自分の仕事が楽になり、顧客に喜ばれ、周りにも評価され、自分の達成感となりうる。こうしてカイゼン活動の輪が職場や社内に広がっていく。この仕掛けをするのも私の役割だと思っているし、トヨタ生産方式は必然的にそうさせるものだ。だから初めから「答えは教えない」のだ。

この源流はトヨタ生産方式の現場主義のうちの「なぜなぜ5回を繰り返せ」「原因よりも真因」などにある。

クライアントからは「コンサルティング料を払っているのだから、早く答えを教えてほしい」と求められることがある。コンサルタントとしてはクライアントとなっているこの職場や会社がどうカイゼンされていくのか、ビジョンは示せても、その都度の答えは「答えられない」と答えることにしている。

トヨタ生産方式にはその進捗具合に応じてステージがある。ここまで行ったら、次はこのステージ、そしてここまで行ったら次はこのステージという具合にだ。小学生から中学生に、中学生から高校生にといった感じだ。小学生に中学生の授業は理解できないし、ましてや高校生の授業も理解できないようにだ。こう考えてくるとトヨタ生産方式は「学ぶ」よりも「発見する」の連続だと受け止めていただいたほうがよさそうだ。

それよりも「カイゼンには終わりなし」を早く身に染みこませ、カイゼンが面白いと感じた方が、結果的にカイゼンのスピードが加速し、カイゼンに協力する仲間ができ、カイゼンの成果を早く創出でき、カイゼンを長く続けられる。

自分の仕事を「考える」ことができる風土や文化を備えた職場や会社は、複雑さが増し、未来予測が困難な状況にあるこれからの時代を乗り越えていける。

◎新型コロナウイルスとトヨタ生産方式

●コロナ前から続く課題

日本は、人口に占める高齢者の割合が増加する「高齢化」と、出生率の低下により若年者人口が減少する「少子化」が同時に進行する少子高齢化社会となっている。65歳以上の人口は、ほぼ横ばいで推移する一方で、20歳から64歳までの労働人口は大幅に減少し、高齢化率は上昇する。これは生産年齢人口、つまり生産活動の中核をなす労働力（OECDは15～64歳の人口と定義）が減少するということになり、国力の低下が懸念されている。更に日本の国民一人当たりのGDPは1990年代から上がっていないし、労働生産性はOECDの37加盟国中21位だ。こうした中で労働生産性をいかに上げていくかは喫緊の課題であることはご承知の通りだ。

またコロナ前から働き方改革の必要性も説かれてきた。働き方改革は単純に長時間労働の軽減やリモートワークの導入といった表面的な改革だけではなく、つくり方やサービスの仕方などの全工程を見直し、ムダを排除し、いかに楽に安全に働ける職場をつくるかである。また働き手視点の働き方改革だけではなく、各社が持続可能な事業運営ができるようにすることも前提となる。働き方改革は「働き手が楽に安全に稼げるように、そして企業が儲かるように」進めていくべきだ。

私たちの事業環境の周りにあるこうした課題は未だ解決されていない。コロナショックが強烈すぎて、ウィズコロナとなれば、こうした課題はなかったかのように捉えられる空気さえも感じる。

そしてコロナショックとロシアのウクライナ侵攻は、物価やエネルギーの高騰を招き、企業組織は極めて高コスト構造を余儀なくさせている。

トヨタ生産方式のミッションは徹底的なムダどりによる原価（率）低減である。トヨタ生産方式により企業組織の事業環境に蔓延るコロナ前からの課題、追加して発生した課題の双方を上手にかわしていくべきである。

●コロナ禍のカイゼン

コロナ禍になにも手を打たず、この２０２２年の夏を迎えた旅館業支配人に出会った。全客室のうち10％程度しか稼働していない状況だった。現場を与る（あずか）彼は「現状維持が精一杯」

とカイゼンを拒んだ。旅行支援キャンペーンや県民割などの業界向けの手厚い政策が浸透している最中にだ。

第1回目の緊急事態宣言を発した２０２０年4月、ＪＲ岐阜駅前でさえもゴーストタウン化した。それから2年が過ぎた。誰にも2年という時間は平等にあった。この2年間で社内のどこがどう変わったか、アフターコロナに今の製品、サービスがそのまま売れるか、つくり方・サービスの仕方はそのままでいいのか、働く一人ひとりは成長できたか。「コロナ禍を抜ければ大丈夫。コロナ禍を何とか忍べばいい。そしたらお客は戻ってくる」と考えてしまっていないか。これではコロナが明けたとしても何も代わり映えはしない。

政府や地方自治体はこのコロナ禍に中小企業を手厚く支援した。雇用調整助成金やその延長策、持続化給付金、家賃支援給付金、事業復活支援金、各市町村によっては同質の中小企業支援策を追加した。この時期にこそ経営改革をとＤＸ化や事業再構築への補助金も促されたし、業界によってはＧｏＴｏキャンペーンなど誘客策にも支援があった。「ゼロゼロ融資」として実質無利子・無担保での金融支援策も打ち出された。受注も減り、営業には容易に出かけられないゆったりとした時期も続いた。

経営者にとってコロナはカイゼンを推進する絶好の口実になったのではないだろうか。「コロナなのだから……」といえば、何でも許されていた。だからこそこの時期は絶好のカイゼンのチャンスだったはずだ。

私がカイゼンで携わるほとんどの企業には、このコロナ禍に「いまこそカイゼンのチャンス」と号令をかけてきた。そして現場には、ここぞとばかりにカイゼン課題を押し付けてきた。場合によっては私がリモートコンサルにもなった。その結果、コロナ禍には普段、目の届かない細かくて丁寧さが必要なカイゼン課題などにもタップリ時間をかけることができた。忙しい時期にはコミュニケーションもろくに取れない部門や立場の社員同士がじっくりと話し合えた。さらには経営者の理念や考えをゆっくり話したり、聞いたりする時間がたくさんあった。まさにアリとキリギリス状態だった。この2年間の過ごし方の差はこれから明らかとなる。

「ピンチはチャンス」。トヨタ自動車のカイゼンチームが、東日本大震災時に被災した半導体製造工場 ルネサスエレクトロニクス株式会社 那珂工場を3か月で製造再開した話題は有名だし、昨今では新型コロナウイルスのワクチン接種会場の設営方法や、新型コロナウイルスが国内に蔓延した当初、東海地方の中小企業の有志が医療用防護服の生産性を上げるためトヨタのカイゼンチームを招き、100倍の生産量にしたこともテレビで放映された。

トヨタ生産方式は「いざというときの伝家の宝刀」でもあるのだ。

●コロナ禍からの「出口戦略」

コロナ禍で雇用を維持するために導入された雇用調整助成金の特例措置がずるずると長期化している。雇用調整助成金は失業率を低く抑える効果があったが、その財源となった約6兆円分の補填はまたいずれ雇用保険料の増額などで皆平等に求められる時期が来る。雇用調整金は、業績が悪化した時などにも従業員を解雇せず、休ませるにとどめた企業の休業手当の一部として支給する制度である。この制度により業績が芳しくなかった中小企業の体裁は守られてきた。

また実質無利子・無担保での金融政策「ゼロゼロ融資」もコロナ禍ではその効力を発揮した。岐阜県内では約2万5000件、4300億円、[10]全国では「ゼロゼロ融資」を中心とするコロナ対応の貸出総額は2022年3月のピーク時86兆円を超えた。これにより客足が途絶え、売上げが激減した企業の経営者の資金繰りは支えられた。新型コロナウイルスは凄まじい経済的ショックであったにもかかわらず、中小企業の倒産件数が横ばいのままであることからして、金融支援はひとまず効果的だったのだと思う。

しかし、いよいよ元本返済がスタートする。相対的な貸出残高はピーク時から減ってはいるものの、特に借り入れ依存度が高く、期限延長を繰り返し、慢性的な過剰債務となっている宿泊業や飲食業はこれからが正念場だ。そして、もしこの金融緩和策が、ゾンビ企業の単なる延命策となっているのだとしたら、この政策は無意味だったことになる。

資金繰りは経営者の重大な責務の一つである。資金繰り、その中でも返済資金に対する不安は経営者のストレスを増大させる。ストレスは経営者の脳を疲労させ、集中力を削ぐ。経営者はストイックだといわれるが、それでもムダなストレスは感じたくないのが本音ではないだろうか。小心者の私自身も事業拡大しようと金融機関から借り入れをした経験があるが、やはり本業への集中力を削ぎ、気が気でなかったがゆえに、1円も手をつけないまま1年ほどで全額返済した。以降「上下一致、至誠業務に服し、産業報国の実を挙ぐべし」する豊田綱領[11]に従っている。

しぶとい新型コロナウイルス感染症、終息の兆しは霞んだままだ。その結果、未だコロナ前の客足には戻らない。製造業のサプライチェーンも正常には戻らず、思うように製品が作れない。更に追加してロシアのウクライナ侵攻などに始まった材料費やエネルギー高騰も今後の事業運営には重くのしかかる。このままだと追加借り入れもできず、負債だけが残り、債務返済が困難な事業者が続出するのではないか。

トヨタ生産方式は仕事の流れを良くして、競合他社よりも既存の経営資源を上手に活用することで、原価（率）を低減していく考え方だ。それはすなわちものづくりやサービスの現場で従業員が経営に参加し、バランスシートの資産をいかに増やし続けるかを考え、実行に結びつけていく作業でもある。

経営者ひとりが資金繰りに頭を悩ますのではなく、従業員一人ひとりが経営に参加し、一緒にこの難局を乗り越えていきたい。

[10]…中日新聞「ゼロゼロ融資　甘い劇薬～制度にひずみ　不安も膨らむ～」（2022年7月8日）7面より。
[11]…豊田佐吉翁の考え方を豊田利三郎氏、豊田喜一郎氏が整理し成文化した。

◎トヨタ生産方式の視点で見方、考え方を変えてみよう

●経営者マインドを育む

トヨタ生産方式では「部分最適」「全体最適」という言葉が頻出する。前者は、仕事全体の流れの中から一部の作業や工程、業務や組織に着目して、課題解決を図っていくことを指し、後者は対象となる会社や組織全体の最適化を狙って課題解決を図っていくことを指す。「鳥の目、蟻の目」「木を見て森を見ず」だ。

トヨタ生産方式では製品やサービスをアイテムごとに見ていく。アイテムごとの仕事の始まりから終わりまでを一つの流れと捉え、その間にかかる時間や手間を簡素化・簡略化する

ことを狙う。逆に製品やアイテムごとの流れの中にある価値を見極め、更に付加をつけられないかも検証する。こうしたアイテムごとの流れを見ていくうちに、アイテムの「全体」が見えてくる。「全体」が見えたうえで「部分」を見直していくのがカイゼンのセオリーである。

ただ実際はなかなかこうしたセオリーどおりには進まない。現場で働いている人たちが相手だとなおさらだ。現場で働いている人々は自分の仕事は熟知しているが、前後工程や他部門の仕事はわからない。また少し大きな企業になれば組織が大きくなり、一つのアイテムでも複数の部門や、場合によっては会社を跨いで仕事が完成する。10人足らずの飲食店でさえも調理係・ホール係・バックヤード係と業務が分かれる。そこに課題やムダが発生している。

だからこそカイゼン推進者やカイゼンを共にする管理者には、お客様が注文してから製品やサービスがお客様の手元に届き、対価をいただくまでの「全体」の流れを見る癖をつけてほしいとお願いする。この見方、考え方で「全体」を何度も見ているうちに、「部分」よりも「全体」を見る癖がつき、「全体最適」へのカイゼンがやっと始まる。これが実際のカイゼンの現場だ。

その一方で、経営者とのカイゼンを進める場合は違う。儲かっているか、儲かっていないかから話はスタートする。つまり初めから「全体」でカイゼンがスタートする。儲かっていない製品やサービスの「全体」を眺め、その中でここがダメなのではないかと課題がある「部分」の〝あたり〟をつけることがとてもうまい。この製品が儲かっていないのは検査の回数が多いからだとか、この工程で多くの手間がかかっているからではないかだとか、「全体」を見た上での「部分」の課題がよく見えている。こうした経営者とのカイゼンはスピードがとても速い。ひとつカイゼンが終わると「この工程やこの作業のカイゼンも頼む」と次から次へとカイゼンを頼まれる。「全体最適」を求めているからだと思う。

トヨタ生産方式によるカイゼンリーダーを選出する際には、次期経営幹部候補生の選出をしてほしいとお願いする場合が多い。それはこのようにカイゼンを通じて、「全体最適」を求める思考や考え方を身に付けてほしいと思っているからだ。社内にこうしたカイゼンリーダーが育てば、「全体」を見据え、自社や自職場が今後どうあるべきかを考える機会を得る。「鳥の目、蟻の目」「木を見て森を見ず」だ。

●サプライチェーンの国内回帰

前項では「全体最適」に関して、自社内だけを想定して話を展開した。その一方で、自社の製品やサービスは自社内だけで生産されているとは限らない。その大半が仕入れ先からの部材調達や協力会社に一部の業務などを委託して成り立っている。

今回コロナ禍に突入し、世界各国でロックダウンが発生。国内外の製造拠点でものをつくれない事態になったり、ものを運べない事態になったりした。その結果、国内の製造拠点は減産せざるを得なくなった。自動車の納期も半年待ちなど驚かなくなった。

海外依存の流れは１９８０年代半ばの円高以降、大手電機メーカーや自動車部品メーカーの製造拠点を中心に急加速した。大手電機メーカーの製造拠点の海外への生産シフトは、国内の企業城下町にも大きな禍根を残した。

また国内の大手企業は、素材や部品の価格を下げられない国内メーカーから、安価な海外メーカーに切り替えた。さらに大手企業の製造拠点の海外への生産シフトは、取引のある地元中小零細企業も追従させた。その先には「世界の工場」と呼ばれた安価で豊富な労働力があった。

２０１０年に訪れた中国・安徽省の３０００名の従業員トップに立つ工場長の月給が当時たったの10万円だったと記憶している（２０２０年の中国の平均月収が10万円）。国家間の経済連携を目的とした国際分業も後押しした。労働集約型産業は人件費が安い国々でつくり、技術が必要なものは日本などの先進国でつくるなど、生産を分業することで、国家間の発展を促進しようとした。しかしこの戦略は長く持ちこたえられなくなった。現地の人件費も急速に高騰、米中摩擦や現地の政情不安、天変地異など、国内本社の経営者にとっては常に神経を尖らせておかねばならない悩みの種をまた一つ増やす結果となってしまった。大手企業に追従し海外へ生産移管した地元製造業の中には、未だに投資回収できないまま、現地に製造拠点を残し、撤退せざるを得ない企業もある。

こうした流れが、今回のコロナショックでも仇となった。サプライチェーンの寸断はコロナショック当初のマスクや防護服からスタート。ウッドショックも起きたし、目下私たちは半導体で困っている。

私たちは、大量生産・大量消費・大量廃棄型時代の「まとめてつくり、まとめて運べば安くなる」という神話がどうしても頭から離れない。その結果がサプライチェーンの寸断を招いている。

東日本大震災ではサプライチェーンの寸断で在庫を持たないトヨタ生産方式が疑問視された。東日本大震災から3か月後の2011年6月、厳父　山田日登志氏は「日経新聞　経済教室」に以下のように寄稿している。「コストだけで海外調達しているようであれば、ささいな国家間の紛争や天変地異に振り回されることになる。今、日本はトヨタ生産方式をベースにモノづくりの垂直統合[12]をもう一度考え直してみる必要がある」。[13]

トヨタ生産方式のには「1個ずつ顧客の目前でつくる」という考え方がある。

カスタマイズされた製品は安価な場所でつくれても、それを世界中の顧客にバラバラに届けるには、結局、膨大なコストと時間とエネルギーが必要となる。「1個ずつ顧客の目の前でつくる」ことが、やはり最も安価だと言える。

目下、円安傾向が続いている。これまで海外に資本を投じたり、サプライヤーを開拓したりした企業は、国内回帰のチャンスだ。内需に対しては、海外から素材や部品を調達するメリットが薄れた。不安定な国家や地域よりも、顧客の近くで生産した安心な製品を短時間で届ける経営の原点に戻る又とないチャンスが来ている。

しかし、サプライチェーンが平穏に機能しているときは気付かない。サプライチェーンが寸断され、有事となると目が覚める。「1個ずつ顧客の目の前でつくる」ことをしない、すなわち「まとめてつくり、まとめて運ぶ」ことは不自然で無理なことなのだと。

1個ずつつくった方が儲かるようになった会社、外部依存していた業務を内製化した方が儲かるようになった会社、大人数でつくるよりも少人数でつくった方が儲かるようになった会社……。大量生産・大量消費・大量廃棄型の概念をパラダイムシフトし、カイゼン成果に結実させたカイゼン推進企業は第1章で紹介してきた。トヨタ生産方式に忠実になれば実現できる。

[12]…技術開発や生産、販売やサービス提供など異なった業務を一つの企業（グループ）がすべて担うビジネスモデルを指し、製造業では原料に近い分野の製造工程（川上工程）から最終製品に近い製造工程（川下工程）を一つの会社で担うことを指す。

[13]…日本経済新聞27面　経済教室「サプライチェーン再構築の道〜部品の外部依存　修正を」（2011年6月22日）より。

●官民連携したカイゼン

トヨタ生産方式が製造業の枠を超えて、様々な業種、業界で取り入れられていることはこれまでにも述べてきた。そして私は今その真っ只中にいる。

更にトヨタ生産方式は民間企業の枠を超えて、公的機関や非営利事業へも応用されている。トヨタ自動車のカイゼンチームは国内がパンデミックになった直後、政府の依頼で人工呼吸器の生産拠点にトヨタ生産方式を導入するなど、コロナ禍でも様々な社会貢献をしている し、発展途上国などの産業振興の支援にもトヨタ生産方式を役立てている。

カイゼンを進める下呂市では町の街路樹の維持・管理方法や温泉街に点在する温泉タンクの点検方法、市内約10㎞にわたって張り巡らされている温泉配管の管理・点検・敷設作業などにもトヨタ生産方式の考え方を取り入れた。

下呂市のテーマパークとなっている下呂温泉合掌村の事業運営へのカイゼンは今後も深掘りするつもりだし、他にも選挙投票会場の設営方法や撤収方法、市内にある公共施設の維持・管理方法、公的な各業務もカイゼンの対象にできそうだ。その中にはこれまで慣れ親しんだ暗黙のルールや目に見えない慣習などもあるだろうから、民間企業へのカイゼンに比べ、より丁寧に進めていく必要がありそうだ。

特に公共性が高く、収益性とは無関係な大方の事業や業務は、長年にわたって変化を拒んできた経緯がある。たまたまコロナ禍でその必要性に駆られた場合はカイゼンを受け入れるだろう。しかしそうでもなければ、永遠にカイゼンの必要性はないはずだ。なぜならば、行政機関は現場から遠く、民間とかけ離れたコスト意識となっていて、当初予算が足りなくなることはあっても余らせてしまえば、間違った予算立てをした責任を問われる仕組みになっているからだ。その結果、時代の流れに取り残され、行政の制度設計自体が錆びついてしまっている。だから民間から見ると違和感を感ぜざるを得ない事業や業務が行政機関には多々あるのだ。これが甚大な非効率を生みだしている。それに役所職員は気付いていないし、気付いていたとしても変化を拒み、市民も声すら上げないままになっている。しかし収益性がないからといって、ムダな労力やエネルギーを使う必要は全くない。カイゼンで余力が生みだされるのであれば、公共サービスのスペックアップや適切な公共サービスの提供、もっとオープンな行政機関へ生まれ変わるなどの資源として再活用してほしい。

こうしたカイゼンは、当然行政機関にも加わってほしい。またたとえ行政機関以外の組織にいったん業務委託されているとしても、行政機関の力なくしては解決できない。その一方でコスト意識に疎く、市民や現場から遠い行政機関単独でのカイゼンだけでは成果は出ないだろう。

地域経済を考えた場合、民間単独や行政機関単独で地域経済社会をカイゼンできない。むしろ地域経済社会には、官民が一体になってこそカイゼンを進めるべき箇所はたくさんある。いまやトヨタ生産方式の恩恵を受けるのは民間企業だけではなくなっている。

今の社会システムには膨大な課題やムダがある。トヨタ生産方式の考え方と手法を活用すれば、それらは確実に解決でき、官民一体での新たな社会システムづくりができる。

●不況に強いトヨタ生産方式

トヨタ生産方式を推進する私は、トヨタ生産方式の起源を１９４７年（終戦の２年後）としている。それは大野耐一氏が機械工場内で、作業者が加工している機械をジッと眺めている時間を「手待ち時間（トヨタ生産方式では手待ちのムダとしている）」とし、その時間にもう一台の機械を持ち、加工できるようにした時点だ。

日本経済は戦後の約25年間で平均９％の経済成長率を遂げていくわけだが、それと同時に大野耐一氏がトヨタ生産方式の基盤を形成、大きく進化した。そして日本が戦後初めて経験する経済不況、オイルショックの時期にトヨタ生産方式は日本国内で脚光を浴びることになった。それはトヨタ自動車が初回のオイルショック時に進めたカイゼンチームの活躍ぶりが伝説となっているからだ。トヨタ生産方式では「つくりすぎ」「過剰」は最悪と教えている。高度経済成長真っ只中に急ブレーキがかかったオイルショックでは、早期の減産の決断が求められた（売れない時に平時の生産体制を維持することほど危険な判断はない）。戦後約30年間続いた高度経済成長期に突如現れたオイルショック時の「減産」を、当時のトヨタの首脳陣はどんな思いで決断・実行したのだろうか。

その後、トヨタ自動車は車種別での更なるカイゼンを重ね、結局、同社は第1次オイルショック時の売上げ対営業利益率を1・02％（1974年）からわずか2年で7・44％（1976年）とし、オイルショック前の5・84％（1973年）を超える成長軌道へと回復させた。[14]

更にコロナショック時に、トヨタ自動車 豊田章夫社長が2020年6月の同社の株主総会で営業利益5000億円の見通しを宣言。2021年3月決算では結局2兆2000億円の営業利益を確保したことは記憶に新しい。

トヨタ生産方式ではつくり方の柔軟性を重視する。「不足」を禁じ「過剰」を戒める。不況に強いトヨタ生産方式と言われる所以は、イソップ童話に出てくるアリとキリギリスのごとく、不断のカイゼンへの熱量はもちろん、こうしたトヨタ生産方式独特の思考法や判断基準、働く一人ひとりの常時の意識の持ち方、不況時への向き合い方、考え方があるからだ。経済成長が止まった日本は、コロナ禍の今こそ、トヨタ生産方式に学ぶべきだ。

---

[14]…トヨタ自動車編「トヨタ自動車75年史 損益計算書推移」参照。

●トヨタ生産方式推進の手順

トヨタ生産方式に則ってカイゼンを進めていく際には手順がある。これを間違えると芳しい成果は出ない。

トヨタ生産方式には、初めに2S（整理・整頓）がある。この目的は一般的に働きやすい職場環境整備にあると伝えられるが、トヨタ生産方式ではそれを目的にはしていない。トヨタ生産方式の2Sの目的は「ムダを見つけやすい職場にすること」と定義している。カイゼンの前提条件を作ることである。

これはなにものづくり現場だけではない。例えばあなたのPCのデスクトップの画面に大量のファイルが貼られている場合、トヨタ生産方式ではこれは「2Sがなされていない」となる。不要なファイルは廃棄・消去し、仕事の順序に合わせて並べられている状態にすることが前提となる。またメールボックスの中の2Sやファイルの共有や標準化など、トヨタ生産方式の考え方はどこにでも応用できる。

更にはトヨタ生産方式では、仕事の指示は最下流工程のみの一方通行であり（後工程引き取り）、それ以外の方向からの指示は出ない仕組みが前提となっている。その結果、不良や不具合が発生したら、それが解決するまで次の仕事はしない、できないというルールが原則となっている（自働化）。ゆえに「仕事は1個ずつ完成させていく」が基本となっている。父が開発したセル生産の起源になっている考え方だ。

その一方でトヨタ生産方式を知らずムダが多く、複雑化した組織ではこのようにはならない。仕事の流れや指示・報告は複雑になっていて、関係者すべてに情報の提供が必要となる。その結果、多くの会議や調整作業が組織内で必要となる。そこに大量のムダが発生する。

私の身近でもCC（Carbon and Copy）欄に多くの人名が連なったメールを受信することがある。この会社では仕事や組織が複雑になっているのだろうと容易に想像できる。

◎産業政策とトヨタ生産方式

●DX化とトヨタ生産方式

トヨタ生産方式を推進していく際の手順の大切さは前述した。では日本中で叫ばれているDX化についてはどうか。製造業のDX化は、ドイツ政府が先駆けたハイテク戦略「インダストリー4・0」に端を発している。「インダストリー4・0」は大量生産・大量消費の仕組みのままカスタマイズされた製品やサービスの提供を可能にする「マス・カスタマイゼーション」[15]を実現するとしている。既にこの考え方自体に無理がある。

製品やサービスの流れが整備できていない職場へのDX化、組織が複雑であったり、脆弱であったりする職場でのＤＸ化、ＤＸ化をせずともカイゼンだけで工程と工程、作業と作業が近接化できたり、一元化できたりするはずの業務内でのＤＸ化……。生産性向上のためのＤＸ化は大いに賛成したいが、トヨタ生産方式の理念に反したり、カイゼンの手順に反したりしたＤＸ化は必ずどこかで破綻を招く。

私の周りでもＤＸ化による失策は頻発している。先に述べたカイゼンなきＤＸ化以外にも、新規・既存システム双方を生かそうと無理なＤＸ化をしたことにより、一貫性をつくりだせずに挫折した事例、ＤＸ投資はしてみたが投資額に見合う受注が結果的に確保できなかった事例、カイゼンをしてみたら発注したＤＸは不要となり、既存のＩＴツールで十分事足りた事例……などだ。すべてＤＸ化のタイミングを誤り、トヨタ生産方式で唱える理念や手順を聞き入れないからだ。複雑化し、肥大化した組織のままでは高機能なＤＸ化も、芳しい成果にはたどり着けないのだ。

[15]…大量生産型の生産や販売のボリュームを活かしつつ、個々の顧客のニーズに合わせた製品・サービスを提供すること。

●事業再構築とトヨタ生産方式

また、事業再構築プログラムでも同じことが言える。確かに大手企業の事例を見渡せば、例えば富士フイルムが化粧品業界へ進出したり、キヤノンが医療技術との融合を図り、成功したりしている。トヨタ自動車自体も、元々は機織り機を開発して豊田自動織機からスタートしていることはご承知の通りだ。しかしトヨタ生産方式を知らない、特に中小企業の現場はどうか。

カイゼン視点で現場に向かえば、様々な経営資源（Man、Material、Machine、Method、Money）が眠ったままになっていることに気付く。稼働率が低い機械設備や作業者の手待ち時間、空いたままになっている土地や膨大な在庫などである。

政府は、中小企業の生きる道は既存事業から脱却し、新規事業を構築するために新たな機械設備を購入し、新たな人材を採用し、新たな素材によって、新たなマーケットを獲得していくことだと語る。それがすんなりできればとても美しく、健全な企業であるかのようにみえる。新規事業構築の対象となる企業組織に基礎体力があり、既存事業とのバランスがうまく取れ、経営者を中心とする新規事業推進者の強力なリーダーシップがあれば成功するだろう。しかし実際の中小企業の現場は、その大半が目前の仕事に追われている企業ばかりだ。中小企業経営者の頭の中は資金繰りと既存事業の受注確保で精一杯なのである。既存事業の経営課題が多く、ムダが蔓延り、収益率が乏しい中で、仮に新規事業を構築できたとしても、その成果は既存事業へと吸収され、努力の割には華々しい企業へと変化を遂げない。そしてここで最も大切な視点は、新規事業構築の資金源が既存事業の利益からの再投資ではなく、補助金であるということだ。経営の原則からしてこれは明らかに逸脱した特別な形だし、これを繰り返せば、健全なマーケットは育たない。

こうした背景から私がカイゼン指導する企業ではまずはカイゼンを推進し、経営資源すべての見直しを進める。経営資源を徹底的に見直したあとで、会社の強みや弱みを整理し、余剰となった経営資源の活用を前提とした製品開発や新技術開発、更に必要な場合には新設備・新技術の開発を促す……この手順を原則としている。こうした手順でカイゼン成功企業となった事例は第1章で紹介した通りだ。

●経営資源の磨き方

一方、企業経営者や従業員は既存の事業や経営資源に強い愛着を持っている。現状の経営状態も十分理解できている。自社の経営がうまくいっているかいないかは、財務諸表をもとに現場を眺める金融機関担当者よりも肌身で理解している。

特に中小企業経営者の経営資源への思い入れは強い。それは「『整理』は捨てることなり」の定説通り経営資源を処分しようとしたとき、何度もその会社の経営者や従業員から「いつか必ず使うから」と怒鳴られ咎められた経験からもそう思う。こうした企業やその経営者が、経営資源が余剰となっている、丁寧に使用されていないと理解できれば、必然的に自分たちの手で次なる活用方法を編み出そうとする。カイゼンの現場でもこうした光景には何度も出合ってきた。

ＤＸ化や事業再構築など政府の産業政策を否定するつもりはないし、特に中小企業は大いに支援されるべきだ。大切なことは支援のタイミングと支援先の自発的で内発的な空気があるかだ。

トヨタ生産方式の理念は「現状（最小限）の経営資源で最大限の成果を上げる」ことにあり、現行の仕事をスリムにし、仕事の始めから終わりまでのプロセスから徹底的にムダを省き、シンプルにすることが大前提となる。それにより醸し出される経営資源を更に有効活用し、既存事業を強固な利益体質としていくことが、新たなる投資による機械化や自動化、ＩＴ化や高度なＤＸ化、新事業構築よりも先だといえる。

第３章 岐阜協立大学 大学院に「トヨタ生産方式とカイゼンリーダー養成プログラム」開設

◎海外から逆輸入されるトヨタ生産方式

トヨタ生産方式の真髄を理解し、正しく実践すれば、経営に対するインパクトはとてつもなく大きい。それは、トヨタ自動車の業績や父が全身全霊をかけて導入・深耕に奔走したキヤノン、ソニーを代表とする企業各社のカイゼン成果、また第1章で挙げたカイゼン推進先行企業の説明で理解していただけるはずだ。またスターバックスやLVMHなどトヨタ生産方式は「リーン（Lean／「ムダのない」「贅肉のない」といった形容詞）」と名を変え、世界中を席巻している。「リーン」の名付け親で、世界中でトヨタ生産方式の普及に努めるマサチューセッツ工科大学の研究チームが、その初版のタイトルを『The Machine that the change the world（世界を変える機械＝トヨタ生産方式）』としたほどだ。

●医療現場へ波及するトヨタ生産方式

中でも日本の医療現場では、トヨタ生産方式をモデルとし、医療現場の生産性や質の向上を目的に体系化された米国ワシントン州シアトルにあるバージニアメイソン病院のマネージメント手法が、CHC(Conference for Health Care)[16]の手で逆輸入されている。CHCを主宰する株式会社麻生　飯塚病院（本社 福岡県飯塚市／代表取締役社長　麻生巌氏）看護部　看護部長（当時）　倉智恵美子氏は私との対談で「医療現場へのトヨタ生産方式は、やはりトップの理解と病院全体で広げていく必要がある。急患・急変が日常となっている医療現場でのセル看護提供方式[17]は（分業型で肥大化した医療組織よりも）『自分が何とかしよう』という看護スタッフ一人ひとりの気持ちを高め、よりよい医療現場を形作れる」と語っていた。命を預かる医療現場の総責任者のカイゼンに向き合う気持ちは切実だ。

[16]…医療組織の質向上、品質管理の発展、Kaizen 活動を推進する次世代リーダーの養成などを目的に株式会社麻生代表取締役会長　麻生泰氏が中心となって2013年初開催した。

[17]…ナースの「動線」に着目し、改善手法を用い動線のムダを省き、「患者のそばで仕事ができる＝患者に関心を寄せる」を実現する看護サービス提供システムであり、飯塚病院が開発した。

●開発途上国のトヨタ生産方式

海外ではトヨタ生産方式が日本発信の超高度な思考法、ノウハウであると受け止められている。アフガニスタン、ガーナ、ザンビア、モンゴルなど開発途上国の若手経済官僚たちが２０１２年ＪＩＣＡ[18]の招きで岐阜県八百津町にある中小企業のトヨタ生産方式導入現場に立ち会った。彼らは大手企業ではなく、都心部から遠く離れた岐阜の中小企業が世界に通じるトヨタ生産方式を導入していることに驚いていた。ツアーメンバーの中にはイギリスの大学への留学時代にトヨタ生産方式を学んだと語っていた者もいた。彼らが既にトヨタ生産方式の存在を知っていたことにこちらの方が驚いた。

また、日本贔屓のアジアの製造拠点などでのトヨタ生産方式導入に立ち会った際にもそう感じた。特に日本企業のアジアの現地法人では、日本人以上に熱心にカイゼン活動を推進していた。

[18]…独立行政法人国際協力機構（Japan International Cooperation Agency）。

●日本発のトヨタ生産方式

先に紹介した「リーン」の名付け親であるジェームズ・P・ウォーマック博士は、ダニエル・T・ジョーンズ博士との共著『ムダなし企業への挑戦～リーン思考で組織が若返る』の中で以下のように記している。「現在の日本企業の問題の原因は、日本で生まれた最大の革新的思想であるリーン思考を十分に取り入れていないことにある。実際日本のメーカーの大半はトヨタの生産の水準とは程遠い状況にあり、トヨタの水準に近づけるだけでも劇的な改善が短期間で見込める。トヨタですら、原材料から最終顧客までの滑らかな流れを作るところまでは、リーン思考を進めていない。つまりトヨタグループ外の原材料メーカーとか最終消費者への販売においては、リーン思考がまだ十分に適用されていない。日本の経済界は（製造業に加えて）旅行から建設から医療といったサービス業を含むあらゆる業界、あらゆる製品の『価値の小川』を再構築して巨大なムダを排除し、日本の消費者が今よりはるかに優れた製品を享受できるようにすればよい。日本企業の素晴らしさは消え去ってしまったのだろうか。べニスは小さな貿易国家でありながら、中世の終わりには世界経済を支配していた。だが、その後環境の変化に追従できずに衰退してしまった。今の苦しい状況から脱却するには日本企業は日本人自身が作り上げたリーン思考にもっと耳を傾け、日本経済のあらゆる方面に適用しなければならない」[19]日本発のトヨタ生産方式のインパクトをもっと目前で、もっと丁寧に伝えていく必要がある。

---

[19]…『ムダなし企業への挑戦〜リーン思考で組織が若返る』James P.Womack Ph.D., Daniel T.Jones Ph.D.著 稲垣公夫訳 1997年 日経BP社 日本語版の序文より抜粋。

◎容易に学べるようになったトヨタ生産方式

昨今、トヨタ生産方式に関する知識や書籍は簡単に手に入るようになった。YouTube にはトヨタ生産方式に関する動画がたくさん流れているし、トヨタ生産方式に関するマンガ本がコンビニでも販売されるようになった。ミニマリストたちは女性視点でトヨタ生産方式を応用、お家の片づけに活かしているし、『「トヨタ式」子育て術〜最小コスト×最大効率 お金をかけずに賢い子どもを育てる革新的教育メソッド〜（叶周作著／幻冬舎ルネッサンス新社）』は微笑ましく拝読した。また、岐阜県下各地でも経済団体や金融機関の皆さんがトヨタ生産方式の無料講座などを開催してくれている。このようにトヨタ生産方式の普及が進んでいる。

●ホンキになれないトヨタ生産方式

それでも本格的にトヨタ生産方式を我が社、我が町で取り組んでみようとする気配はまだ多くない。またはちょっとかじってみたが、ホンキになれなかった職場や企業もあるのではないだろうか。

トヨタ生産方式を先行しているはずの県内の製造業をまわると、教訓のように「整理・整頓」「カイゼン」と書いた張り紙は貼ってある。また、トヨタ生産方式を知っている、聞いたことがあると答えるものづくり経営者もとても多くなった気がする。それでもそのものづくり現場の足元をみると、ものは散乱し、ムダが蔓延り、上手に仕事ができていない人もいて、首をかしげざるを得ない場合が多い。

トヨタ生産方式は製造業のものだといわれる割には、製造業にさえもまともに浸透していない。

●トヨタ生産方式の伝え方

なぜトヨタ生産方式の理念や手法がもっと加速度的に伝わっていかないのか……。それはトヨタ生産方式やカイゼン活動の進め方、伝え方自体にも課題があるとずっと思いつづけてきた。

父を長年最も近くで支えた側近は、各社から岐阜へトヨタ生産方式を学びに来る受講生に「やるぞ、やるぞ」と声が枯れるまで発声させ、中でも言うことを聞かない者は抵抗勢力と捉え、強硬な封じ込め作戦でカイゼンを推進した。カイゼンには抵抗勢力がつきもので、ネガティブな敵対関係[20]から始まるはずという考えが透けて見えていた。このやり方は一部のマスコミでも取り上げられ話題を呼んだが、非難もされた。絶好調の父の下で働くコンサルたちはこのやり方に慢心し、コンサルティングサービスがどんどん横柄になった。「息子のお前が何とかしろ」との声も聞かぬふりをし、全国からトヨタ生産方式を学びにやってくる方々には「これも家業」と言い聞かせていた。しかし、心の底ではそのやり方に共鳴できなかった。私が父の下で働くスタッフに相容れられなかった大きな要因の一つだ。いまやハラスメントが叫ばれ、なおかつ新型コロナウイルス感染症で剣道のお面の中でもマスクを着用しなければならない時代だ。もともと限界があったそのやり方は、これで完全にご法度となった。

これまで父もトヨタ生産方式の伝え方には随分苦悩し、それを乗り越え斬新な手法や考え方で大手企業や製造業のカイゼン現場を一刀両断してきた。しかしトヨタ生産方式を更にありとあらゆる現場にオーソライズするには、トヨタ生産方式の創成期のこうしたやり方のままでは、もううまくいかない。

その一方で、トヨタ生産方式の理解者は民間企業内外に増えている。岐阜県庁も例外ではなかった。岐阜県幹部は１９９０年代、産業政策としてのトヨタ生産方式をすでに一考していた。当時の県幹部は岐阜県庁がある薮田に近接していた父の事務所に三顧の礼を尽くしたが、けんもほろろに拒否されたと語っている。役人嫌いの父ゆえ、その光景は目に浮かぶ。

そしてそれから30年近くが経った２０１９年、第一線を退いておられる当時の県幹部から「改めて岐阜協立大学　学長　竹内治彦先生に会ってみないか」とお誘いを受けた。学長室を訪ねたら、竹内先生は開口一番「昨日お父上が同じ席に座られていた」と話された。その２

週間前に下呂温泉 水明館で私主催の父の傘寿の祝いを執り行っていたのに、その席で父は竹内先生にお会いするとは一言も口にしなかった。その後よく話を聞いてみたら、「カイゼン塾」として父が大学生にカイゼンを教えていた時のご縁などから、別の大学に大学院を設置して学生たちにカイゼンを教えたいとの話を持ちかけ、やはりうまくいっていないようだった。竹内先生もカイゼン単独の大学院の設置は、高額で難解な条件のクリアが求められ、なおかつ昭和時代の軍隊調の厳しさや教え方では難しいと考え、父の頼みをどうあしらっていいのか思いあぐねておられた。

こうした一連のご説明をされたのち、竹内先生は私の考えや約30年にわたるそのときまでの私の結末を静かに丁寧に傾聴された。そして「本学既存の大学院で開講できるプログラムの開発を」というご指示をいただくに至った。その中には文部科学省が認める教育プログラムの開発という条件があった。①座学と②実習と③課題研究がバランスよくこなせるプログラム開発が条件として求められた。極めてロジカルでアカデミックなものになると思った。これならばトヨタ生産方式を大手企業や製造業のみのものから解放し、岐阜県下の業種を問わない中小零細企業をはじめとする民間企業や個人事業主、金融機関スタッフや公務員、非営利事業を営む方々にも広く理解していただくことができるのではないかと直感した。

こうして岐阜協立大学大学院主催「トヨタ生産方式とカイゼンリーダー養成プログラム（以

下、カイゼンリーダー養成プログラム）」を開設するに至った。

[20]…Edgar H. Schein 著『謙虚なコンサルティング～クライアントにとって「本当の支援とは何か」～』では囚人、戦争捕虜、奴隷、異なる文化圏の人、高齢者や情緒的疾患のある人、犯罪者や詐欺師の犠牲あるいは餌食になる人との関係性と説明されている。

◎トヨタ生産方式とその真髄

トヨタ生産方式にはカイゼン用語でいう「２Ｓ（整理・整頓）」や「点のカイゼン（作業改善・ＩＥ分析）」「リードタイム短縮」や「在庫削減」など、容易に業務カイゼンに結びつく手法だけに留まらない。大量生産・大量消費・大量廃棄型の社会システムでは当たり前とされていた思考法や考え方とはかけ離れた、トヨタ生産方式独特の思考法や考え方がある。しかし今の自分の仕事の仕方や社会システムに慣れ親しんでいる私たちには、なかなか理解しづらい。表面的なトヨタ生産方式の理解だけでは及ばないのだ。トヨタ生産方式には真髄があるからだ。そしてなおかつそれらを正しく理解し、各社、各職場内で実践していく必要がある。詳しくは「カイゼンリーダー養成プログラム」内で伝えていく。

こうしたトヨタ生産方式の真髄をホンキで学び、実践しようと志した人が、出合うバイブルがある。『トヨタ生産方式〜脱規模の経営をめざして』（大野耐一著　ダイヤモンド社）。実はこの書物はとてもわかりにくく記述されている。トヨタ生産方式に初めて出合い、志した人々が、この書籍を初めて手にして、いったい各職場、各企業でどれだけトヨタ生産方式の理念や手法を展開していけるのだろうかと、ちょっぴり疑問を持つほどだ。トヨタ生産方式を約30年間生業にしてきた私も、トヨタ生産方式を人に伝え、実践し、改めて書棚から同書を手に取り、行間を読んでみると、その深さや偉大さにまたハマり、違った感覚に浸ってしまうほどだ。トヨタ生産方式はとてつもなく広く奥深い思考法であり、考え方だと思う。『トヨタ生産方式〜脱規模の経営をめざして』は、数ある父の書籍とともに、私にとってはまさに教科書を超えた「経典」となっている。同書の「まえがき」の中で大野耐一氏は「もともと、なんとか日本の経済風土にあったオリジナルな方法をという考えから、他社、特に先進国に簡単にわからないように、さらに、イメージさえ生じがたいようにと思って『かんばん』であるとか、『ニンベンのある自働化』とかを実践し、強調していったのですから、わかりにくいのは当然かもしれません」[21]と直接記載されている。また父によれば、「あえて（わからないように）わかりにくく書いてあるのだ」とおっしゃっておられたようだ。

更にはじめからこの思考法や考え方をネガティブに受け止めている人々は、どうしても歩み寄れないまま長い時間が続く。その間にライバルがトヨタ生産方式を理解し、目前で成果を上げ始めると、トヨタ生産方式をネガティブに受けとめている人々は、組織にフリーライドしはじめるか、場合によっては反旗を翻しはじめる。これが厄介だ。トヨタ生産方式の導入や展開の際には、経営者やトップの理解が欠かせない理由の一つだ。

そこで「カイゼンリーダー養成プログラム」は、①トヨタ生産方式の基本事項から独特な考え方や手法までをしっかり頭で理解（座学）、②実際の職場を拝借してのカイゼン推進法のトレーニング（カイゼン実習）、③自職場でのカイゼン成果創出（課題研究）の3つのコンテンツで、トヨタ生産方式の真髄を体に染み込ませていくプログラムとした。

カイゼン実習では1つの作業を丁寧に見る

カイゼンを推進する立場に立てば、カイゼン対象職場で働いている人たちが少しでも楽に働けるようにしてあげたいという気持ちは誰にでも湧くはずだ。「はたらく（傍を楽にすること）」の語源だとも聞く。「カイゼンリーダー養成プログラム」に参加する人のほとんどが、この3つのコンテンツを繰り返すことにより、他社、他職場で働く人々の仕事をなんとかカイゼンで楽にさせてあげたいという気持ちを強くし、最終的には自社や自職場での仕事の仕方を見直していくことに繋がるのだ。

◎企業経営とトヨタ生産方式

経営者がトヨタ生産方式を通じて得られる産物は多い。現場では安全性や品質、生産性の向上、経営レベルでは在庫回転率やキャッシュフローなどの定量的産物から、チーム組織の柔軟性や結束力、個人の働き甲斐やモチベーション、セルフ・エスティーム（自己肯定感）の醸成などの定性的産物も手に入る。

「カイゼンリーダー養成プログラム」では、トヨタ生産方式のどのような考え方をどのような手法で、どう活用していけば、どのような産物を見いだせるかをロジカルに座学で学び、現場でトレーニングを積み、そして自社での成果につなげていくことを学ぶ。そのど真ん中には「増員・増床・増設なく、増収・増益」を置いている。いかに既存の経営資源を有効活用し、経営に繋げていけるかを私なりに一言で示してみた言葉だ。

「トヨタ生産方式を一言で語るとどうなるか」と聴かれることがある。その際には「『増員・増床・増設なく、増収・増益』を実現する思想と手法」と答えているし、ＪＰＥＣのコンサ

[21]…『トヨタ生産方式～脱規模の経営をめざして』（大野耐一著　ダイヤモンド社）「まえがき」より。

ルティングではトヨタ生産方式の導入の中心に置いている考え方だ。もちろん「カイゼンリーダー養成プログラム」から輩出するカイゼンリーダーにも「『増員・増床・増設なく、増収・増益』を実現する思想と手法」をしっかり伝え、それを実現できる頭脳と腕を磨いてもらっている。トヨタ生産方式を経営に直結させるためだ。

既存の経営資源を丁寧に使いこなし、働く一人ひとりにも納得、満足していただき、そして顧客にも喜んでもらう……。トヨタ生産方式を上手に推進し、成功につなげている企業は、「増員・増床・増設なく、増収・増益」を自然に実現させている。カイゼン活動で創出した経営資源は次なる販路拡大や次なるマーケットを確保、次なる新製品販売に、上手に活用・転用させている。そして新規投資は本当に必要な部分だけに限定する。こうした職場や企業がまさに質実剛健、筋肉質な事業運営を展開している。カイゼン成果を上手に手に入れていく企業は、これらを一気に実現する手段の一つにこのトヨタ生産方式を活用している。

「ムダどり」は、既存の業務や事業の中から「削減」したらそれでよしとした傾向があった。また既存の業務や事業の中から「削減」した経営資源の活用法は経営者が考えることであって、それが経営者の腕の見せ所だった。今や既に誰もがあふれんばかりの情報を入手できる時代になった。既存の職場や事業から「削減」された経営資源をいかに有効活用するかは、経営者だけの仕事ではなくなっている。トヨタ生産方式は、全社一丸となって、既存の経営資源からムダを排除し、その隙に創造的価値やアイデアをつけてカイゼンし、価値ある新たな企業組織に変換させる、まさにアップサイクルなのだ。

◎内発的動機付けとトヨタ生産方式

トヨタ生産方式の概要がこのように理解できたとしても、いざ始めようとするとどこからどのように手をつけていいのかがわからないと語る経営者は多い。慣れ親しんだ自社、自職場には愛着があり、そこで働いている人々の知恵やプライドが凝縮されている。そうした会社や職場にトヨタ生産方式を通じて「変化」を求めるということは、それまでの知恵の結集を否定し、その結果、そこで働く人々のプライドを傷つけることにもなりかねない。

また私をカイゼンコンサルタントとして招聘していただける企業では、唯一招聘に携わった経営者だけが断腸の想いで私を迎え入れてくれる。その他の従業員は「また社長が変わった人を連れてきた……」とネガティブでドンヨリモードだ。このようにカイゼン活動開始当初はとてもナーバスになる。

トヨタ生産方式によるカイゼン活動を上手に立ち上げるには、内発的動機付けが欠かせない。経営者の絶大なる力の後ろ盾は重要だが、それだけでは成功しない。各社、各職場の従業員の協力は絶対に欠かせない。新しいことに挑戦することが得意であったり、楽しいと思ったりできる人にとっては、トヨタ生産方式の導入やカイゼンはとても好都合だ。今までこうしたい、ああしたいと思っていたことを一気にできるチャンス到来となる。

その一方で、大半の従業員は、今のやり方のままが一番いい、このやり方が一番楽なはずだと、変えることへの抵抗を感じるだろう。

●1つの職場、1つの作業

こうした中でも変化を求め、内発的動機付けを引き起こすには、まずは私はカイゼンの対象を1つの作業や1つの職場に絞りこみ、そこでカイゼン成果を創出することに終始している。会社の大小を問わず、現場から見上げる経営は広く高い。反面、1つの作業、1つの職場に絞りカイゼンしてみると、目前でカイゼンが進んでいく姿を働く人自身が目の当たりにする。そしてカイゼン成果は小さくとも数字にすることで、再び働く人が目前で今度はカイゼン成果を目の当たりにする。この時初めてカイゼン成果一つひとつが生産性や品質、安全性や顧客満足度の向上につながり、現場で経営に参加していることなのだと理解できるのだ。

更に私にはこれまでの拙いカイゼンの経験の中で培った類似のカイゼン事例は豊富にある。これらの先行事例と照らし合わせ、自職場がこの先どのように変化していくかを見渡すことが、変化のための内発的動機付けを上手に誘導する手段になっている。

　なおかつカイゼンが成功している企業での体験は、カイゼンが進んでいない企業や職場の人たちにとってはとても刺激的なようだ。カイゼンが成功していればいるほど、カイゼンへの熱量は高く、カイゼンを進めるスピードも速いからだ。

「カイゼンリーダー養成プログラム」ではこうした自社、自職場以外でのカイゼン実習を複数回体験する。その結果、カイゼンへの熱量が高い人はドンドンその熱量を高め、カイゼンをネガティブに捉えている人でさえも、こうしたカイゼン実習を通じて、ネガティブ感を払拭していく。結果、カイゼンリーダーが育っていくという仕掛けになっている。カイゼンリーダーが自社、自職場で、内発的動機付けをし、職場の変化の誘導ができるならば、カイゼンを安心して進めやすい

複数回のカイゼン実習でカイゼンへの熱量を高める

し、そのカイゼンの評価もしやすいし、されやすい。

このような経験から、私はトヨタ生産方式を始める際には、断片的なオブザーブは基本的にはお断りし、「カイゼンリーダー養成プログラム」を一貫して受講していただくことを薦めている。同プログラムではトヨタ生産方式の知識や手法を丁寧に伝えるだけでなく、業種が異なる複数他社での1つの作業、1つの職場を変えるカイゼン実習を通じてトヨタ生産方式の普遍性を目前で経験・体験ができる仕組みになっているからだ。

未だに進化し続けるトヨタ生産方式である。これに携わった先人たちが半世紀以上もかけて築き上げてきたトヨタ生産方式の真髄を半日や1日の立ち会いで理解できるはずはないし、ましてや帰社後に社内ですぐにその場で実践し、カイゼン成果が創出できるとは思わない。1つの作業、1つの職場がカイゼンできてはじめて経営に繋がるカイゼンが始まるのだ。

◎自分のためのトヨタ生産方式

トヨタ生産方式に関するセミナーやプログラムはあちらこちらで開催されるようになった。トヨタ生産方式をトレードネームにするコンサルタントも多くなった。しかし、その全ての依頼主は企業組織である。個人ではない。

カイゼンリーダーとしてトヨタ生産方式を導入しようと思えば、トヨタ生産方式をいかに「自分ごと」として受け止められるかがカギとなる。ちょっとした覚悟もいる。少なくとも1つの職場、1つの作業でカイゼン成果が見られ、内発的動機付けができるまでは、職場や会社が変化する際に発生する多少の艱難辛苦も自分の糧と捉えて、乗り越えていく器量が必要となる。

しかし、これまで開催されているトヨタ生産方式の大半のセミナーやプログラムは会社の業績や現場改善のためのもので、なかなか自分のための学びであるとの認識には至らない。今や〝滅私奉公〟は死語になっている。平均勤続年数が短い20代、30代にとってはなおさらだ。トヨタ生産方式を導入し、カイゼン成果が創出され、経営数値が変化し、やっと自分の手元に見返りがあるまでを「自分ごと」として捉えきれないのだ。「自分ごと」として捉えられなければ、なかなかホンキにはなれないのが人間の性（さが）ではないか。

トヨタ生産方式には全ての仕事の質を向上させていく考え方と具体的な手法が凝縮されている。トヨタ生産方式を通じて私たちの仕事の質を向上させていくためには、各社、各職場で実際に働いている一人ひとりのカイゼンへの認識を深め、カイゼンの手法や考え方を理解し、具体的なカイゼンの実践法を身に付け、具体的に仕事や現場を自分たちで変えていく必要がある。こうしたことから、いかにカイゼンを「自分ごと」として捉えてもらえるかが焦点となる。

２０２２年度経済財政報告によると、その一方で企業側は教育訓練を指導する人材や人材育成を行う時間の不足を挙げる割合が高い。またその背景には人材を育成しても社員が辞めることを懸念し、現場で働く一人ひとりの育成は、とうに諦めているかのようだ。働く側から見ても、正社員を中心に仕事が忙しいために自分の成長のための時間がないことを挙げる割合が大きいほか、企業側の費用負担の大きさやキャリアパスが描けないことなども挙げられている。[22]

[22]…令和４年度経済財政報告「第２章　労働力の確保・質の向上に向けた課題『能力開発や人材育成、自己啓発に関する企業・労働者の問題点（第2-3-14図（1））』」より。

●学び直しとトヨタ生産方式

このところ人生１００年時代が叫ばれるようになって「学び直し」がブームになっている。個人主体の「リカレント教育」[23]、企業主導の「リスキリング」[24]双方が「学び直し」として捉えられ、どちらも各社、各職場の業務に対して実践的・実用的なものだ。政府は「どちらも新たなスキルを身に付けるための手法」として、概ね共通のものとして政策を打ち出している。

トヨタ生産方式を会社のための学びではなく、「自分ごと」として捉え、こうした社会のニーズと政府の考えも掛け合わせ、上手に地域経済の中に溶け込ませていけないものだろうか。岐阜協立大学大学院での「カイゼンリーダー養成プログラム」開設への想いの一つだ。

既に「カイゼンリーダー養成プログラム」の修了生たちは確実に各社・各組織内で自力・実力でカイゼン成果を創出しているし、そのうち何人かは、その結果を評価され、組織内での昇進に繋がっている。または同プログラムに派遣した企業組織の複数の経営者はカイゼン成果が見届けられ次第、同プログラムに派遣した受講者の昇進・昇格を予定していると語っている。自分に磨きをかける人は、結局会社からも期待され、大切にされる。「企業は人なり」。企業の成長と人の成長は一心同体だ。ここにもトヨタ生産方式を活用するチャンスが訪れた。

「カイゼンリーダー養成プログラム」を開設した背景には、たとえ受講者がプログラム修了後に所属企業組織からの退職となった場合でも、地域内での転職となれば、地域内のどこかの企業組織でその学びは活かされるに違いないという、地域経済全体の生産性向上に鑑みた竹内先生と私の強い信念がある。

年代が若くなればなるほど人材流動は止まらない。そうした中でもこの「カイゼンリーダー養成プログラム」は、地域経済に生産性向上のスキルが持続的に保たれ、活力ある地域経済の源泉となる。「地域に有為の人材を養成する」岐阜協立大学の教育理念の実現の一翼を担っていく。

[23]…スウェーデンの経済学者ゴスタ・レーンが提唱。社会人になってからも教育機関で学習し、また社会へ出ていくということを生涯続けることができる教育システム。リカレント（recurrent）には、繰り返しや循環といった意味があり、回帰教育、循環教育、「学び直し」と表現される。

[24]…「技能再教育」。技術革新やビジネスモデルの変化に対応するために、新しい知識やスキルを学ぶこと。2020年ダボス会議では2030年までに10億人のリスキルを目指した「リスキリング革命」を発表。日本国内では主に枯渇するDX人材を養成しようと経済産業省が提唱。

◎社会課題解決とトヨタ生産方式

トヨタ生産方式は社会課題解決にも機能する。複雑化していく先進国の社会システムや世界経済の枠組みの中で、社会課題解決の必要性は極めて高くなっている。なかでも環境問題や少子高齢化に伴う人手不足や働き方改革、循環型社会の構築や食糧・エネルギー問題などは、トヨタ生産方式が現場でミクロ的に解決し続けている。だからこそトヨタ生産方式の考え方や手法は一人でも多くの人々と共有したい。トヨタ生産方式は大量生産・大量消費・大量廃棄型の社会システムに纏わる社会課題を早期に解決し、その先にある新たな社会システムを実現する考え方や手法の一つであるともいえる。

●児童養護施設に暮らす子どもたちとのカイゼン活動

私にはトヨタ生産方式を粛々と推進することが確実に社会課題解決に繋がっていくと確信した経緯がある。それは約10年にわたって続けている児童養護施設に暮らす子どもたちとのカイゼン活動の経験だ。

児童養護施設[25]は全国に612施設、約3万名の子どもたちが、岐阜県下では10施設に約600名が暮らしている。彼らの大半が親にすがり愛されたくともそうならない境遇にいる子だ。彼らは高校卒業と同時に社会経験が未熟なまま施設を退所する。学力が伴わず、高校進学が不可能となれば、中学卒業と同時に社会人となる。今や施設で暮らす子どもたちの入所理由は、親からの虐待やネグレクトが半数を超えている。そうした親の元に生まれた子どもたちの気持ちは筆舌に尽くしがたい。

ニートやフリーターが社会問題化していた2007年、岐阜県大野町にある児童養護施設「樹心寮」の中学生たち10名と鉄鋼メーカーでカイゼンをする機会を得た。社会人の基本である「挨拶」「掃除」「笑顔」「カイゼン」この4つをものづくり現場を教室にして教えた。10名の中には手首に傷をつけた跡がある子さえいた。やるせなくて胸が締めつけられた。

それでもこのツアーでは心を閉ざした彼らをおだてなだめながら、油まみれの鉄鋼現場の2S（整理・整頓）に挑んだ。2Sといってもテクニカルなものではなく、当時はただの「掃除」

だった。夏の暑い中、油まみれの設備や床を真摯にひたすら「掃除」し続ける彼らの姿に、ツアーを受け入れた企業の経営者やスタッフは言葉を呑み、彼らの境遇を聞いてさらに唸り涙した。その瞬間、子どもたちの目が輝き、自信を取り戻した感さえした。「自分も社会で生きていけるのだ」と……。それ以降、樹心寮では「カイゼン塾」と称し、毎年の恒例イベントとして開催している。次はバローがこの想いに賛同し、樹心寮の「カイゼン塾」を引き受けてくれる。

[25]…保護者のいない児童や虐待されている児童など環境上養護を要する児童を養護し、退所後も自立支援を行うことを目的とする施設（児童福祉法第41条参照）。

●故 安倍晋三氏が語るカイゼン

無念にも凶弾に倒れた安倍晋三氏は、２０１４年1月14日のエチオピア連邦民主共和国訪問の際のアフリカ連合（ＡＵ）本部でのアフリカ政策スピーチ「『一人、ひとり』を強くする日本のアフリカ外交」の中でカイゼンを以下のように語っている。[26]

「『カイゼン』という思想―。働く現場で『一人、ひとり』を大切にする、日本産の思想に目をとめ、いち早く、応用の可能性を考えたのが、エチオピアの、故メレス・ゼナウィ・アスレス首相でした。『カイゼン』は、『整理』と、『整頓』から始まります。『整理』とは、工場フロアからムダなものを取り除いて、動線を整えること。『整頓』とは、流れが良くなったラインに対し、必要な道具を、取りやすいよう並べることとです。整理と、整頓によって、ラインは美しくなります。美を感じて、達成感をもつところに、国境や、文化の差はありません。同じラインで生産の能率が上がれば、達成感はさらに増します。ことほどさよう、『カイゼン』は、経営ノウハウとして、どんな国、文化にも、応用が効きます。そればかりではありません。取り組むうちに、『一人、ひとり』の創意と工夫を大切にする文化が、染み込み始めるという、それに、『カイゼン』の奥深さがあります。『カイゼン』は、何しろ徹底的にボトムアップ。トップダウンではありません。そこにあるのは、草の根を支える『一人、ひとり』に対する信頼です。人間に対する普遍的信頼に基づく思想が、カイゼンなのです。また、働く人たちは、ささやかな達成を重ね、着実な自信を育てます。『セルフ・エスティーム（自己肯定感）』を、育む行為でもあるのが、カイゼンです。『一人、ひとり』が、確かな自信を身につけ、毎日たゆまず働くうち、会社は伸びるでしょう。そういう会社、職場が、ひとつ、またひとつ増えて行くと、社会は次第に安定し、やがてそこに、民主主義の、確かな土壌ができてくるでしょう」

[26]…外務省ＨＰ「安倍総理大臣のエチオピア訪問（概要と成果）」より。

●カイゼンの神秘性

毎年「カイゼン塾」を開催する社会福祉法人　樹心会の児童養護施設「樹心寮」施設長　神谷俊介氏は「カイゼンは職場を更によくしようという気持ちを体で示し、その行動がカイゼン成果として即座に数値に反映され、企業組織で認められ、褒められることで、心を閉ざした子どもたちでさえも、リアルな現場で成功体験ができるという優れた力を持っている。その結果、自己肯定感が育まれ、働くことはお金のためだけではないということが体に染みこみ、まだ遠いと思っている子どもたちの卒業後の社会が近接し、社会に出る前だからこそ学業に、スポーツに、自分磨きに専念しなければならないと感じ始める。社会に馴染みづらい彼らの閉ざされた心から解放させてくれるのが『カイゼン塾』であり、単なるインターンシップとは違う」と語っている。

豊かになった日本であるはずなのに、こんなに多くの子どもたちが喘いでいる事実を知らないまま、トヨタ生産方式を生業にしていた自分が恥ずかしかった。経済合理主義の下で陰になっている課題がもっとたくさんあるはずだ。この経験以降、社会課題解決の手法としてのトヨタ生産方式の活かし方を考え続け、様々な事業にも取り組んできた。その詳細はまたどこかで話題にすることとする。

トヨタ生産方式の手法を活用し、社会課題解決に取り組む公務員や教職員、経済団体職員をはじめ、社会課題解決に挑むスタッフの皆さんにもトヨタ生産方式が持つ神秘的な力に耳を傾けてもらいたい。

◎岐阜県内で働く全ての人へのトヨタ生産方式

岐阜市には「大野耐一先生　終講の地」が存在する。父が１９７８年に岐阜県庁から南方約１キロ程度の場所に開設したＰＥＣ産業教育センターの跡地に、石碑として刻まれている。大野耐一氏は亡くなる２か月ほど前の１９９０年３月、長く患っておられた病にもかかわらず、「何とか山田の頼みだけは……」と来県された。私の大学時代だった。お身体を患われていることがすぐにわかるほどのお姿で、講演会場となっていた当時のＰＥＣ産業教育センター２Ｆ会議室に階段で上がられるのもやっとだった。父が手を取り、当時の従業員が周りを囲み、ゆっくりゆっくり２Ｆまで上がられていた姿を記憶している。ご講演は言葉一つひとつを丁寧に選んで話されていた。ところどころで微笑みかけられ、伝説として語られるあの厳しさは微塵も感じられない最後のご講演だった。私が撮影したこの一部始終のビデオは家宝として大切に保管してある。そのときを刻もうと、当時父がクライアントとしていたソニー株式会社、トステム株式会社、日本電気株式会社などが資金を出し合い、石碑として建立していただいた。

故 大野耐一先生　終講の地

石碑の横の跡地は今、果樹園となっている。「この地からカイゼン成果が実るように」との、父を懸命に支えた私の母の想いからだ。

さらに現在移転した岐阜羽島駅前の父の事務所には大野記念室がある。記念室には、大野耐一氏直筆のメモや色紙、トヨタ自動車工業時代のトヨタ生産方式社内マニュアルなど、父が丁寧に収集した世界に二つとない膨大なトヨタ生産方式に関する資料が集められている。岐阜に生を享けた者としてこの地にこだわりたい理由だ。

本プログラムはこの岐阜県内の製造業・物流業・サービス業など県内９万１０７７か所の民間事業所で働く87万７２４３人[27]の事業従事者の皆様はもちろん、医療法人や学校法人、財団法人や社団法人などの営利・非営利組織、その他、公務員や教職員関係者など、県内すべての仕事に従事する皆様を対象に開設した。岐阜県下の民間事業所総売上（収入）15兆６２９億４４０万円[28]をいかに「増員・増床・増設なく、増収・増益」につなげていけるのかを考え、実行に移していきたい。もちろん岐阜県外からの受講も歓迎する。

文部科学省へ提出した本プログラム開設趣意書には岐阜協立大学　学長　竹内治彦先生が

「それぞれの現場を管理する人材と働く全ての人々を対象に、トヨタ生産方式の知見をベースとした業務カイゼンを具体的、自立的に実践し、経営的な成果を早期に創出できる人材を『カイゼンリーダー』と位置づけ、各社、各組織、各職場内で働き方改革や企業収益に貢献できる人材を輩出することを目的としている。広義には労働力人口が減少していく日本社会の活力維持、高揚に寄与することが期待される」と記してくださった。

先が見えない複雑化したこの時代、私たちは、完全に衰弱した日本の生産性を甦らせるため、今一度、世界に冠たる強靭な日本企業を創造し、そしてそこで働く一人ひとりの豊かな暮らしを実現しなければならない。私たちは今、その正念場にいる。トヨタ生産方式の真髄を理解し、正しく推進できるカイゼンリーダーはそれを十分実現する。こうしたカイゼンリーダーをまずは1000人養成する。

[27]…令和3年経済センサス―活動調査の速報集計結果より。
[28]…令和3年経済センサス―活動調査の速報集計結果より。

第4章 「トヨタ生産方式とカイゼンリーダー養成プログラム」のすすめ

◎プログラム概要

本プログラムは、1978年に父が開設したPEC産業教育センターと同時に開講した「トヨタ生産方式と作業改善研究講座」を拡充、文部科学省が進めるリカレント教育「職業実践力育成プログラム（Brush up Program for professional／以下BP）」[29]の規定された条件に則してプログラム化した個人主体の「リカレント教育」となる。ゆえに「カイゼンリーダー養成プログラム」の修了証は個人に発行されることになっている。個人に修了証が発行されるということは、文部科学省認定のプログラム修了者として正式に履歴書に記載ができ、トヨタ生産方式が個人のキャリアに更なる箔をつけることができるということを指している。

既に本プログラムは、民間企業で働く経営者、従業員以外にも公務員、業界・経済団体職員、商工会職員や経営指導員の皆様も受講した。2期／年の開催で、募集人員は10名／1期、新型コロナウイルス感染症が落ち着けば定員を増やす予定だ。プログラムは全6セッションで成り立っており、１か月に１セッション、２日間／１セッションの合計12日間／６セッションで、総時間数は１４１時間となっている。そのうち「座学（全61時間）」「カイゼン実習（全32時間）」「課題研究（全48時間）」の大きく３つのコンテンツから成り立っており、受講生を２～３グループに編成し、ＰＢＬ（Project Based Learning）[30]形式で進めている。

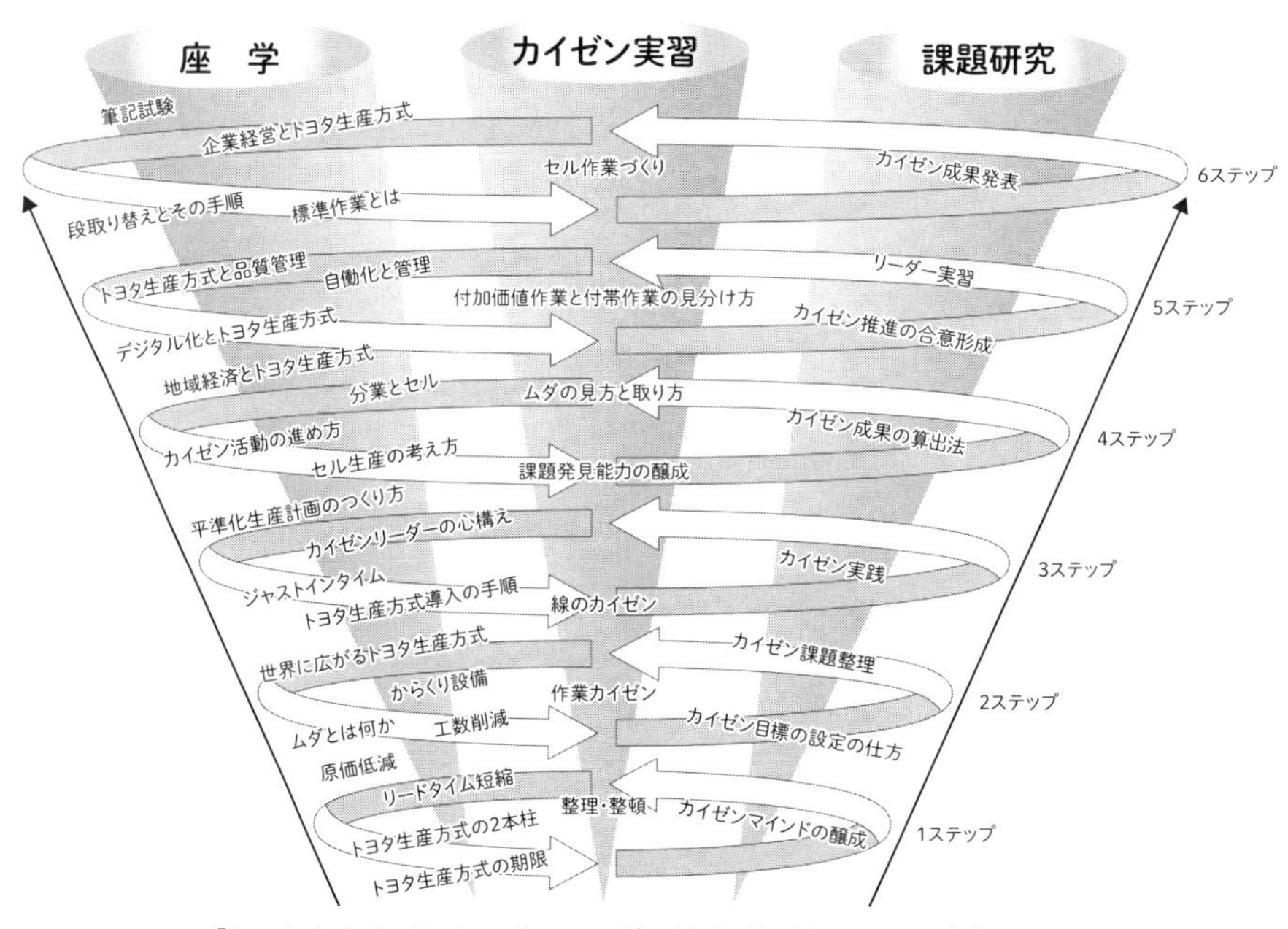

「トヨタ生産方式とカイゼンリーダー養成プログラム」の３本柱

◎プログラムのコンテンツ（1）「座学」

「座学」は、以下の３項目から成り立っている。トヨタ生産方式の真髄を事例などを交えて基本から徹底的に行う①「講義」。「講義」を受けグループ内メンバー同士で共有・確認しあう②「グループ討議」。「講義」で学んだ知識や「グループ討議」内で共有した内容を自社で伝える際のカイゼンリーダーとしての適性を磨く③「リーダー実習」である。

トヨタ生産方式の真髄を基本から学ぶ

[29]…教育再生実行会議『『学び続ける』社会、全員参加型社会、地方創生を実現する教育の在り方について（第六次提言）』（平成27年３月）を受けて、大学・大学院・短期大学・高等専門学校におけるプログラムの受講を通じた社会人の職業に必要な能力の向上を図る機会の拡大を目的として、大学等における社会人や企業等のニーズに応じた実践的・専門的なプログラムを「職業実践力育成プログラム」（ＢＰ）として文部科学大臣が認定する。

[30]…「課題解決型学習」。知識の暗記など受動的な学習ではなく、受講者自らが問題を発見し解決する能力を養うことを目的とした教育法で、受講者の自発性や能動性を醸成。指導者は受講者のサポートをする立場でプログラムを進行し、結果にたどり着くまでの過程（プロセス）を重視する。米国教育学者ジョン・デューイにより開発。

●トヨタ生産方式の基本

「講義」では、これまでトヨタ生産方式に携わった先人たちが体系化してきた理念や手法、その手法が編み出された背景などを丁寧に説いていく。トヨタグループの創始者とされている豊田佐吉翁が考えた「自働化（ニンベンのついた自動化）」、トヨタ自動車の創業者豊田喜一郎氏が考えた「ジャストインタイム」という「トヨタ生産方式の2本柱」とされる思想がある。これらがトヨタ生産方式の創始者大野耐一氏の手により具現化され、その後、父をはじめとするトヨタ生産方式創成期の先人たちが、どのようにトヨタ生産方式の普及に臨んだかなどは、当方の知りうる限りで受講者の皆様に特に丁寧に伝えていきたい項目の一つだ。またトヨタ生産方式の考え方や手法は日進月歩で進化している。その中でトヨタ生産方式に対する誤解や批判があることはもちろん承知している。これらにも時間の許す限り丁寧に解説する。

またムダの見方や取り方、「点のカイゼン」「線のカイゼン」「面のカイゼン」などのカイゼンの手順、トヨタ生産方式における品質の考え方や後工程引き取りの考え方など、トヨタ生産方式の定説やトヨタ生産方式独特の考え方なども、様々な業種で進めた先行事例などと共に説いていく。また昨今、次々に登場するデジタル機器やソフトウェアを上手に使いこなす若手社員なども標準作業づくりに巻き込みながらカイゼンしていく方法なども解説する。

中でも特に父が約半世紀にわたって試行錯誤し続け、そして花開いたセル生産の考え方や、トヨタ生産方式の2本柱のうちの「自働化」をさらに深く解釈してカイゼンの現場に根付かせ続けているトヨタ生産方式独特の「管理」の考え方、トヨタ生産方式を組織全体で取り組んでこそ理解でき、実践できる「平準化（生産）計画」の考え方や手法などは時間をかけて説明していく。

米国に留学経験のある老舗旅館の次期経営者は、本プログラム中の全ての座学を終えて以下のような所感を記してくれた。

「トヨタ生産方式は『トヨタ生産方式の二本柱』をもとに、大野耐一氏が徹底的な現場主義を貫き具現化したものであり、実体験から体系化されたものである。トヨタ自動車が企業風土として適するのみではなく、日本発の方式として各国から学び続けられ、かつ絶えず時流に合わせて進化し続けている手法と思想である。海外では資本主義の問題点を見抜いた考え方だと言われていることもあるし、日本国内では国情を無視したグローバリズムを推す勢力から論難されたとのことなどから考えると、トヨタ生産方式とは日本の国情、国民性に本来合致した地についた手法であり、同時に各国へも横展開できる普遍性を有した思想でもある証左だと理解し受講できた。また『ムダ（は不要）』と『遊び（は大事）』を混同するなかれとの話題には、なるほど（トヨタ生産方式が）民情を無視した設計主義的思想とは異なり、長年（現場で）実績を積み上げてできた活動なのだと実感した」

●私が眺めてきたトヨタ生産方式とケーススタディー

大学卒業後、「家業」としてのトヨタ生産方式に身を置いてから30年を超える。これまでの間、数々のカイゼンの現場に立ち会い、今もその渦中にいる。特に駆け出しの約10年は、東日本大震災前の東北地方でのカイゼンに勤しんだ。当時の東北地方には電機業界の製造拠点が群雄割拠しており、海外の安価で豊富な労働力に呑みこまれまいと、1歩＝1秒＝1円のカイゼンで鎬（しのぎ）を削っていた。

ソニー、NEC、キヤノンなど従業員数1000人の大手企業の製造拠点から、そのサプライヤーとなっていた従業員20～30名の中小零細企業、さらには東北地方の銘菓や生産資材を製造する地元企業まで、1日に1社から2社訪問し、カイゼンにあたっていた。同じ会社内でもカイゼン部署や職場は様々だったし、その都度違ったカイゼンテーマが与えられた。そう考えると、カイゼンにあたった延べ企業数はこの東北地方での約10年で少なくとも1社／日×240日／年×10年＝2400社／10年、大学卒業後から30年では7000社を優に超える。業界・業種も様々だ。製造業でのカイゼンは本当にたくさんこなしてきたし、飲食業・宿泊業・物流業・リサイクル業・建設業・卸売業……、生活関連サービス業に分類される冠婚葬祭業にもカイゼンする箇所はたくさんあって、私の方が新たな発見があった。これからも私のカイゼン先は増え続ける。

それでも先人たちが培ってきたトヨタ生産方式は広大で深く、私はその全容を未だ把握できない。永遠に無理だと思う。ゆえに私は完璧なトヨタ生産方式の指導者にはなれないし、完璧な伝道者にもなれない。あえて言うならばトヨタ生産方式を学び志す方々と共に各社、各職場でカイゼン成果を創出し、社会課題を解決し、よりよい産業社会構築に向かうトヨタ生産方式の「伴走者」であり、トヨタ生産方式の全容やこの先の活用法を求める「求道者」でありたい。

このように本プログラム内では、これから新たにカイゼンを学ぼうとする人々に対して、トヨタ生産方式の基本的な考え方や手法とともに、私のこれらの拙劣な経験をもとに、コンサルティング先との守秘義務契約などに反しない範囲で、わかりやすくカイゼンのケーススタディーとして語っていく。

◎プログラムのコンテンツ（２）「カイゼン実習」

６セッションから成り立つ本プログラムでは、そのうち５セッションで実際の職場でのカイゼン実習を行う。受講生たちは２～３チームに分かれ、チームごとにカイゼンテーマが与えられる。チームごとのカイゼンテーマに沿って、カイゼン課題を発見、整理。カイゼン対象職場の管理者や実際に働いている一人ひとりとカイゼン課題を共有し、了解が得られれば、実際にカイゼンをし、カイゼン成果の算出までを行う。

カイゼンテーマは、先述の座学で語ったトヨタ生産方式の考え方や手法を織り交ぜて設定する。現場に蔓延るカイゼン課題を手あたり次第に潰していけばよいとは考えていない。これは本プログラム修了後、受講者自らが自社に戻って直面するカイゼン課題を、トヨタ生産方式の考え方や手法に則し、適切なプロセスを経て判断し、カイゼン成果に結びつけるためのトレーニングだからである。また、本プログラムではこの過程を5回（5セッション）繰り返す理由もある。これは本プログラムの受講者一人ひとりが課題発見能力、課題解決能力を繰り返し養い、自社、自職場でトヨタ生産方式をより適切に活用できる能力を身に付ける、体に染みこませることを狙っているからだ。

カイゼン実習のオープニング

●カイゼンはリアルな現場で

本プログラムのカイゼン実習は、実際のオペレーションが行われている企業や職場内の稼働時間内にわざわざ行う。それはカイゼン対象となった職場で働く人々の心理や背景を踏まえ、より良好な関係性の中でカイゼンを推進できるカイゼンリーダーとしてのコミュニケーション能力の醸成も求めたいからだ。カイゼンは決してネガティブな敵対関係の中で行われるものではないと考えているからだし、その中心となるカイゼンリーダーがトヨタ生産方式の考え方や手法だけに溺れ依存することなく、自分のカイゼンリーダーとしての能力でカイゼン成果を創出してほしいと思っているからだ。そしてそのためには、適切な言葉遣い、礼儀正しい態度や身だしなみで現場に接し、わかりやすい言葉で説明して、現場（企業）側の「わかった、やってみよう」という主体的な意思決定を促進する必要がある。カイゼンはやらされる形ではいずれもとに戻されることをたくさん経験してきたし、現場との合意形成がとても大切だからだ。更にその先にあるアウトカムは、本プログラムでカイゼン

カイゼン実習中の受講生

対象職場となったことがきっかけで、他職場や他部門にもカイゼンニーズが引き出され、それがクラスター化し、同時多発的にカイゼンが推進されることだ。そのほか実際の現場でのカイゼンには言葉にできない臨場感があるし、互いに真剣味も増す。カイゼンは業務が終わってから会議室で進めるものではないとも思っている。何とかカイゼンしたい……とする想いは現場に必ず伝わり、それが現場にカイゼンニーズを噴出させる。働く息吹がある生きた現場でこそ、カイゼンリーダーの腕は磨かれるのだ。このスピリットをカイゼンリーダーは身に付け、感じてほしいと思っている。

●チームの合意形成とカイゼン

更にチームでカイゼンを行う意味もある。それは進めたいカイゼンの方向性への合意形成を行う場や空気、プロセスなどを形づくる力も、カイゼンリーダーとして身に付けるべき能力だと考えているからだ。

本プログラムのカイゼン実習では、度々チーム内の受講者同士がカイゼンの進め方や考え方で意見が割れる。ときには互いに感情的、情熱的になる場合もある。こうなる所以は、受講者一人ひとりのトヨタ生産方式の考え方や手法の理解度によるところが大きい。トヨタ生産方式は極めてロジカルだ。感情的、情熱的になる場合のほとんどは、トヨタ生産方式の目指すところを理解しているだけか、またはカイゼン対象職場の現状を理解しているだけに留まっているかに分かれている。

本プログラムのカイゼン実習は、現状の職場をどのように変えていくべきかをチームで議論し、現場で傾聴し、そしてそれを変えていく作業だ。そのためにはチームの誰かが現場を変えていくプロセスやゴールを明確にしていかないと現場は変わっていかない。つまりチームでの合意形成のプロセスを経る必要がある。またチームでの合意形成がなされたとしても、それをカイゼン対象職場がそのまま受け入れるとは限らない。そしてなおかつアプローチの仕方や手順を間違えば、適切なゴールにはたどり着かない。カイゼンの方向性の合意形成ができ、カイゼン対象職場となっている現場で働く一人ひとりとの信頼関係を築き、そしてそのど真ん中に適切なトヨタ生産方式の考え方や手法、手順の活用ができてはじめて確実なカイゼン成果を創出できる。だからこそチームでのカイゼンにこだわっている。

●カイゼン成果発表会

本プログラムでは、各セッションでのカイゼン実習後には必ずカイゼン成果発表会を開催する。カイゼン実習ではトヨタ生産方式のどんな考え方やどんな手法が活かされ、カイゼン成果にどう結びついたかを振り返り、文字や画像、図表にまとめて、カイゼン対象職場の経営者、管理者、実際に業務を行っている作業者の皆様にも時間が許す限りカイゼン成果発表会に参画してもらっている。約10分程度／1チームで発表は進められ、カイゼン対象職場の管理者や実際に業務を行っている方々からも評価をもらう。また、複数のカイゼン対象職場を代表して経営者からも評価をもらう。

カイゼン成果は「1歩≒1秒≒1円」や在庫金額、リードタイム、品質不良率など、どんなに小さなカイゼンでも、全て数字で算出する。数字に置き換えることにより、受講者にとってはチームのカイゼン力のレベルを知ることになる。またカイゼン実習受け入れ企業には、発表されたこのカイゼン成果をいかに丁寧、かつ早期に経営的成果につなげていくかを考える動機付けとなる。

カイゼン成果発表会風景

本プログラムでは、こうしたカイゼン実習を5回繰り返すことにより、確実にカイゼンリーダーの腕と能力が磨かれ、本プログラム修了後もカイゼンリーダーとしての活躍が期待できる。

●カイゼン実習受け入れ企業

カイゼン実習先となる企業や職場は、本プログラムの受講生を派遣している企業を基本に選定する。本プログラムの受講生たちは後述する自社・自職場のカイゼン目標を設定し、本プログラムを受講することになっている。その目標を達成することが修了の要件となっているからだ。カイゼン実習対象職場に選定された企業の受講生は、そのときに限り、カイゼン実習を受け入れる側とカイゼン実習を推進する側との二面性を持つ。ゆえにカイゼン実習対象職場に選定された企業の受講生は、自身のカイゼン目標と本プログラムでのカイゼン実習テーマを被らせ、そこで創出されたカイゼン成果を自身のカイゼン目標達成の踏み台にする場合がほとんどだ。これをチャンスに、カイゼン実習対象職場のカイゼンリーダーはより多くのカイゼン成果を創出することに成功している。それは本プログラムに参画する受講生約10名のカイゼン実習が、設定したカイゼン目標達成の支援者となるからだ。

経営者からのカイゼン評価を聞くのは、カイゼン実習の醍醐味

また、カイゼン実習会場として積極的に受け入れをリク

エストする企業や職場もある。それはカイゼン実習会場としての提供が、カイゼン対象職場やカイゼン対象企業となることで、自社、自職場がカイゼンに更に慣れ、カイゼンに拍車がかかり、更なるカイゼン成果創出やカイゼンニーズを噴出させることを知っているからだ。逆に、我が社はまだ恥ずかしいからとか、その余裕がないからなど、カイゼン実習会場としての受け入れを拒む企業のカイゼンスピードは、カイゼン実習受け入れ企業に比べるとはるかに鈍化し、カイゼン成果創出までなかなかたどり着かない。

このようなことから本プログラムでは、危険箇所や守秘義務に関わる職場などを保有している企業を除き、できる限り本プログラムへの受講生派遣企業でのカイゼン実習を勧めている。

●これまでの受講生のカイゼン実習所感

「客室のルームメイキングを現状分析し、工数を減らすカイゼンに取り組みました。ルームメイキングに使用するアメニティや機材の使用頻度に応じて台車内のものの並べ方を決めたり、ルームメイキングの作業内容や手順を変えたりする点のカイゼンに取り組むことで、年間にどれだけの時間が捻出できるかが理解できました。ムダをなくすことで働く人も楽になることを実感しました。（宿泊業　50代　マネージャー）」

「今回のカイゼン実習では昔ながらのやり方や考え方にメスを入れなければならなかった。そのため現場の声をきちんとヒアリングし、カイゼンの方向性と考え方をすり合わせることがとても大切だと感じた。（製造業 20代 社員）」

「カイゼン実習を受け入れるどの会社やどの職場にも人の動きやモノの置き方にムダがあった。そしてこのカイゼン実習を通じて自社の職場でもムダが見え、仲間と共に話し合い、カイゼンを実行することができた。特に担当していた業務を自分一人で行っていたという現実を反省し、他の社員と共有することにより、労働時間の削減につながり、これからさらにカイゼンを進める道が見えてきた。（製造業 60代 役員）」

「現場を見える化し、数値化することで、カイゼン課題を客観的に知れることを学んだ。頭の中でなんとなくわかっていることを数字に、画像に、文字にすることで、次に何をすべきかをハッキリと教えてくれる。また学んだトヨタ生産方式の考え方や手法を自社の実情に合わせて伝え、皆で目標に向かっていくことでカイゼン効果を生むことも理解できた。これからはカイゼン推進チームを設置してポジティブ思考でカイゼン体質の会社に少しずつ変化させていきたい。カイゼンは既存の経営資源の中において実施するため不具合が起きてもすぐにリセットが可能であり、すぐにリスタートできる利点がある。ゆえに社員から『ムダ』『カイゼン』の単語がより多く発せられる雰囲気を自らつくっていくことも自分の大切な役割だと感じた。（製造業 30代 マネージャー）」

◎プログラムのコンテンツ（3）「課題研究」

本プログラムの修了要件の一つに「課題研究」がある。これは、自社、自職場のカイゼン課題をカイゼン目標として整理、設定し、本プログラム開催期間中に課題解決し、カイゼン成果を創出することを課したOFF-JTだ。カイゼン成果は１００万円／年以上としている。その根拠は、受講者が会社不在となり本プログラムを受講する時間に掛けられている人件費、本プログラム受講のための交通費、そして本プログラムの受講料を合わせた金額以上を想定したからだ。つまり、本プログラム受講の投資対効果は受講後少なくとも1年以内に創出できる仕組みとなっている。またカイゼン成果創出に戸惑う受講生には私が直接現場に出向くなどして、手厚く一緒にカイゼンする。

●カイゼン目標の立て方

カイゼン目標については、各社、各職場でカイゼン課題となっている項目を任意に取り上げ、所定の「カイゼン目標シート」にまとめてもらう。「カイゼン目標シート」は大きく２つの目標を設定してもらっている。一つは自社、自職場のカイゼン課題をどのようにカイゼンし、どれくらいのカイゼン成果を創出しようとしているかを体系的にまとめてもらっている。特にカイゼン前の現状とカイゼン後のあるべき姿は、ひと目でわかりやすく、かつ即座に比較できるようにするために文字だけではなく、図表や写真、場合によってはレイアウト図なども記載できるようになっている。またカイゼン成果算出方法も同時に語り、数字で明確にカイゼン成果が創出できるようにしている。

また本プログラムでは、本プログラムで課すカイゼン成果に留まらず、自社、自職場内でカイゼン成果を持続的に創出できるようにするためのカイゼンリーダーとしての資質も磨いてもらっている。ゆえにプログラム受講当初にはどんなカイゼンリーダーになりたいかを目標設定し、「カイゼン目標シート」に記載してもらっている。

本プログラムでは、自社、自職場をどのようにカイゼンしたいか、自分自身がどのようなカイゼンリーダーに成長したいかを「カイゼン目標シート」にまとめて設定し、受講を始める形をとっているのだ。

更にそのうちのカイゼン目標に関しては、その進捗状況を６セッションのうちのほぼ毎回、チーム内で報告しあうようにしている。お互いのカイゼンの進捗状況を語り合うことによって、自分の活動のスピード感や熱量、トヨタ生産方式の考え方や手法の活用の仕方などを互いに研鑽し、励まし合って目標達成に漕ぎつける。カイゼン目標設定当初には私も受講生全員のカイゼン目標にフィルターをかける。カイゼン目標の立て方やカイゼン目標のボリューム感はどうか、本プログラムが望むカイゼン目標から逸脱してはいないか、協力者と共に進められるようになっているかなど、チェック項目は多岐にわたる。さらに本プログラム期間中には複数回の個別面談により、カイゼン目標に対する進捗状況を私が直接把握し、場合によっては軌道修正する。

●「リーダー実習」の進め方

課題研究には「リーダー実習」もある。これは先述したトヨタ生産方式の「座学」を中心に本プログラムで学び体験したことを自社、自職場の10名以上の従業員へ語り伝えるという課題だ。「座学」の中でもその一部をトレーニングする。これは全6ステップで構成されている本プログラムのうちの最終ステップ（修了試験・修了成果発表会・修了証授与式）を除く5ステップで、学び体験した内容を10名／1ステップ×5ステップとなるので、延べ50名以上の従業員に語り伝えることを課していることになる。従業員数が50名に満たない企業や職場では、同じ従業員に複数回語り伝えてもらっても良いことにしている。これは修了セッションを除く5ステップで私が語り伝えた座学やケーススタディー、カイゼン実習で体験・経験した内容を自分の中に留めることなく、自社内や自職場内へ語り伝えることにより、自分のカイゼンリーダーとしての資質を磨くという目的があるほか、自社、自職場内のカイゼンマインドを醸成し、カイゼンへの理解を深め、カイゼンへの協力者を増やしていく目的がある。

語り伝えた内容に対しては、語り伝えた対象者一人ひとりから一言コメントをもらうことになっている。「トヨタ生産方式の理念がよくわかった」「ムダの見方と取り方が理解できた」「カイゼンへの抵抗感が取れた気がする」……などのコメントをもらっている。このスキームにより、受講者一人ひとりのトヨタ生産方式の理解度が深められ、各社、各職場でのカイゼンに一層拍車をかけることができている。

現場で働く人々は寡黙な人が多い。また、カイゼンを推進する際には風通しの悪い硬直化した職場ではうまくいかない。さらにカイゼンリーダーが習ってきた内容を知らせることなく、自社、自職場でカイゼンを進めようとしても、必ず齟齬や誤解を招き、カイゼンリーダーの苦労や疲労が増す一方になる。

このように本格的なカイゼンを自社に持ち込む場合には、本プログラムを受講するカイゼンリーダーがとても重要な役割を果たすことになる。反面、こうしたカイゼンリーダーを養成することなく、経営者が独断でカイゼンを断行しようとしても、なかなかうまくいかないケースが多い。本プログラムを受講するカイゼンリーダーのリーダーシップが各社、各職場のカイゼン推進の動向を大きく左右する。

●「トヨタ生産方式とカイゼンリーダー養成プログラム」修了成果発表会

本プログラムでは、この課題研究で取り組んだカイゼン内容を第6セッションでカイゼン成果発表として各チーム内で発表する。発表内容は主に①会社概要（カイゼン推進状況）、②講座開催期間中のカイゼン目標、③カイゼン前の状況、④カイゼン前の課題、⑤カイゼン内容（講座内で学んだ知識や手法を中心に）、⑥カイゼン後の状況、⑦カイゼン成果、⑧今後のカイゼン課題、⑨講座に参加しての自分の変化及び上司コメントとなっており、発表時間は10分／1名を基準にしている。さらにこの中でも優秀なカイゼンのエビデンスを残した受講生には、受講生各社の代表者や来賓者を招いての「トヨタ生産方式とカイゼンリーダー養成プログラム」修了成果発表会に登壇してもらっている。修了成果発表会後には、受講生各社の代表者からは受講生への熱い労いの言葉がかけられる。そして受講生たちは自信に満ち溢れてこのプログラムを終えている。

◎「トヨタ生産方式とカイゼンリーダー養成プログラム」修了生の所感

本プログラムを修了した受講生たちの所感を抜粋し、以下に記しておく。

「一つひとつの会社がムダを限りなくゼロに近づけるカイゼンを進めていけば、その会社のみならずつながっている会社同士が強くなり、双方の利益になっていくのだと理解できました。また古い会社になればなるほど今までのやり方や考え方を変えたり、見直したりする機会が少なくなっていくと思います。私たちの町には古くからの会社が多くあります。そうした会社にもカイゼンに加わっていただき、末永く発展していければ町の活力になるのだとはっきり理解できました。（宿泊業 20代 社員）」

「プログラムの中ではいつも『シンプルに』『コンパクトに』と言われていました。とてもわかりやすくて印象的でした。（製造業 30代 マネージャー）」

「サービス業に属しているため製造業でのカイゼンがものすごく新鮮でした。現場カイゼンでは、初めは戸惑いもありましたが、座学で知識がついていくにつれ、こうしたら良くなる、こうしたら楽になるといった多くの意見を出し合うことができるようになりました。戦場のように仕事をしている現場でもプログラムの回数を重ねるうちに、冷静に見られるようにな

プログラムの修了を祈願して温泉寺でお参り

り、見え方が変わっていく自分を実感、どこの職場でも活用できると理解できました。（宿泊業 30代 マネージャー）」

「まずは『点のカイゼン』で一つの作業に集中すれば、その後多くのムダが見えてくることを理解できました。現場を見るとあちらこちらに目がいってしまいがちですが、一つに絞り集中してカイゼンをしてみることの必要性を理解しました。（製造業 30代 マネージャー）」

「さぁ、現場に行こう！ じっとよく観察しよう！ そして極め付け、一手を打とう！ そこにカイゼンの醍醐味がある。（卸売業 60代 経営者）」

「トヨタ生産方式をネットで調べると調べきれないほどの情報がありました。またカイゼンのケーススタディーを学び、そのすごさに驚くばかりだった。本プログラムは本質的に私たちの地域を元気づけようとしている。仕事を楽にしていくことや売上げを確保していくこと……この先考えなければならないことをたくさん気づかせてくれた。（宿泊業 40代 マネージャー）」

「『自分たちで自分たちの職場を忙しくしているだけだ……』と言われた時は衝撃だった。

普段当たり前にやっていた作業の中の移動の多さ、仕掛り品の多さ、ムダな動きの多さ……などは考えたこともありませんでした。実際にそれが（このプログラム期間中に）なくなっただけでも仕事が穏やかになり、丁寧な仕事ができるようになりました。自分の仕事をみる眼が変われたことは最も大きな成果ではなかったかと思います。（公務員 50代 事業責任者）」

「『現場の人間にはムダをさせるな』と一蹴されたこと。ムダを取り除くことは、マネージメントをする人間の責任であるということを思い知らされた。それから『変わること、変えることを恐れるな』との言葉。変えようとする前にいろんな障害を想像して結局やらずに終わってしまう……これに背中を押してくれる大切な言葉がカイゼンだ。この気持ちを持ち続ける。（製造業 40代 マネージャー）」

寄稿

「トヨタ生産方式とカイゼンリーダー養成プログラム」を受講して

株式会社　水明館
瀧　康　洋　氏
代表取締役社長

――なぜ、カイゼンか？

カイゼンを始めた当初（２０１８年）の自社の経営はコスト高になっていたのは事実。このままでいいのかと思いつつ、カイゼンはせいぜい整理・整頓や導線を見直す程度だと思っていた。しかし、山田先生と複数回話していく間に「実行しなきゃ」という気持ちになっていった。そしてやればやるほど社内の業務の流れや動線が見える化され、一つひとつの動きがロジカルになっていった。今振り返ると、活動開始当初の会社の中には、いかにたくさんのムダがあったのかと思いゾッとする。

また活動開始当初は「サービス産業にカイゼン？」「自分たちの仕事に落ち度があるはずがない」などの抵抗感はたくさんあった。しかしカイゼン活動は、抵抗するこうした勢力に対して、ロジカルに、ポジティブに進められた。逆に、ネガティブで、感情的になると、つじつまが合わなくなっていった。そして結局カイゼンをやらない理由、やれない理由を重ねている従業員たちは残念ながら会社を去る選択をするに至り、逆に一生懸命カイゼンに取り組む従業員の影響で考えが変化し、組織に活力がついた。その過程で人が育ち、変化を積極的に受け入れる風土や習慣が根付いた。想定外の産物があった。

――カイゼンをやってみて

「すごい」「素晴らしい」の一言に尽きる。

現場にある小さなムダが取れると1つの仕事がスリムになり、それを続けると部署さえも統合できる。そうなるとそこで働く人のスキルも上がらざるを得ないし、スキルを上げようとする人は自然に成長していく。これはすなわち組織の成長だ。カイゼン活動には組織の成長を地道に促す仕組みが宿っている。とても地に足の着いた活動だと思う。激動の時代だからこそ、カイゼンで原点に帰るべきだと思う。

また館内をカイゼン視点で見渡してみると、約30年前のバブル時代の流れの中、経営者が見えないところで、業務が細分化されていた。中には、もともと社内でやっていた業務のうち、面倒くさい仕事だから……と外部委託された業務もあった。部分的にはコストを抑制しているように見えたが、トータルで見ると実際はとてもコスト高となってしまっていた。

館内で使用している設備に関しても同じことが言えた。私が当社に戻った30年前には館内の至る所に膨大な冷蔵庫が配置されていた。私は即座に10台ほどの冷蔵庫を捨てたが、今回のカイゼンでそれをさらに上回る冷蔵庫を使わなくてもよくなった。

団体客やお客様のニーズが限定的だった時代はそれで良かった。むしろその方が、効率がよかったはずだ。しかし時代が変わり、一人ひとりのお客様と丁寧に向き合い、おもてなしやサービスの質を上げようとなったら、この仕組みのままでは限界があった。さらに新型コロナウイルス感染症で団体のお客様から個人のお客様へとシフトチェンジせざるを得なくなったこの時代にはまったく不適合な考え方となった。

カイゼンは日本の誇りだと思う。そして今はカイゼンをもっと真摯に学びたいとホンキで思っている。

――この活動の今後は

もちろん館内のカイゼンはさらに深める。

それ以外にも観光産業に関連する事業の中にこのカイゼンの考え方を共有させていく。ムダのない会社が、より強い会社になれることは、今回のカイゼンでとてもよく理解できた。

ムダのある会社と付き合うよりも、ムダのない会社同士がグループを形成し、取引しあった方がお互いにより強くなれる。

そして場合によっては関連する事業に、徹底的にカイゼン視点を導入し、自社でやってしまった方が最も強くて安全な経営戦略になるのではないかと思い始めるようになった。

また、観光産業が主要産業となっている下呂へのカイゼン普及も欠かせない。下呂の能力を最大限に引き出せる力がカイゼンにはあると思う。これは宿泊業者だけではなく、飲食店やお土産屋さんなどの小売店、宿泊業者を陰で支える水道屋さんや建具屋さん、納品業者となっている印刷屋さんからお花屋さん、酒屋さん、器屋さん、食材屋さんなどまで、観光客が下呂での滞在時間を少しでも延ばして、下呂を楽しんでいただけるための余裕をカイゼンで導き出したいと思っている。地域全体でカイゼンを学び、実行していくことこそが、地域の底上げになり、なおかつ下呂へ来ていただける観光客の満足度を上げることに繋がると確信している。こうした観光産業の基本的なマーケティングの考え方の中にカイゼンを融合させていきたいと思っている。

株式会社　ハウテック
中川正之氏
代表取締役社長

――なぜ、カイゼンか？

当社は、昭和54年（1979年）からQCサークル活動[31]をスタート、その後カイゼン活動や5S活動も立て続けに取り組んできた。特にQCサークル活動は、その主催者でもある一般財団法人日本科学連盟からも表彰された。また1980年代後半からの新規住宅着工数160万戸時代と相まって、とても好調な事業運営を続けてきた。それは当社が大手ではできない、きめ細かなOEM生産体制[32]を整備。製造コストや品質、納期の面で、お得意先様からの大きな評価をいただいてきたからだった。その一方で2000年代になって新規住宅着工数が90万戸時代に突入、利益が出づらくなってきていた。さらに元来得意としていた「かゆいところに手が届いていた」お得意先様からの製造コストや品質、納期面での要求が年々厳しくなり、当社の生産体制とそこで働く人々に大きな負荷がかかり始めていた。そんな時、下呂温泉　水明館でトヨタ生産方式を導入している山田先生とのご縁から、トヨタ生産方式の学び直しをすることを決意した。

[31]…従業員が主体的に製品やサービスの質の向上を目的にグループを編成して取り組む活動。小集団改善活動とも。
[32]…他社ブランドの製品を製造すること（企業）。Original Equipment Manufacturing の略。

――トヨタ生産方式の学び直しをしてみて

当社の活動はまだ始まったばかり。今は「一生懸命やる、考える」が精一杯。そして岐阜協立大学大学院主催「トヨタ生産方式とカイゼンリーダー養成プログラム」で従業員が受講、まずは山田先生のカイゼン指導とカイゼンリーダー養成（人材育成）とを併用している。経営者の私としては、「もっとスピードを上げてやりたいのに……」がホンネ。しかしカイゼンの本質は現場。自分たちの手で成果を上げて、それが喜びに感じられるようになるまで、やらされ感が一掃されて、自らが使命感でカイゼンがやれるようになるまで、何年かかるのかわからないが、やり続ける。これがホンキのカイゼンだ。ここに「カイゼンリーダー養成プログラム」受講の意味がある。

――この活動の今後は

昨今、世界に冠たる日本の自動車業界をはじめとするものづくりが脆弱化していると感じている。ものづくり技術の基礎体力の弱体化や企業ぐるみの隠蔽体質などだ。当社はお得意先様とのトラブルがあった場合は私が直接出向き、「このたびはご迷惑をおかけしまして」とお詫びする。すると「なぜ社長がそんなことまで知っているのか」と驚かれるようになってしまった。当たり前のことをやっているはずなのに、世間（のものづくり）ではそうならなくなった。ＤＸ化なども大切だが、この活動を通じて、ものづくりの原理原則をもう一度顧みたいと思っている。

それから円安や国際情勢が激しく揺れ動くこの時代、海外の製造拠点で国内の製品を製造する意味も薄れてきている。当社の海外の製造拠点では、日本国内向けの製品を１００％製造していたが、今後はそれを見直していく予定。その一方で、本社工場がある下呂市でも人口減少の流れには逆らえず、一部の工程を外国人労働者に頼らざるを得なくなっている。いくら資本力があったとしても人が集まる都心部へ製造拠点を持っていくのは無謀な戦略となる。今、まずは全社の生産性15％向上が目標。下呂のこの地で「増員・増床・増設なく、増収・増益」するためのカイゼンが必須となっている。

第2部

「トヨタ生産方式とカイゼンリーダー養成プログラム」

竹内治彦

第1章　大学院での職業実践力育成プログラム

多くの読者の皆さんは、大学院をつくるのは、そんなに大変なことなのか、あるいは、そんなにお金が掛かるのかと疑問に思われるかもしれない。文部科学省から認可される大学や大学院を設置するためには、文部科学省が定めている認可基準をクリアしなければならない。まず、設置にあたっては施設（建物のようなもの）、設備（机や椅子やＰＣ等々）などを、それぞれの学問分野と定員とする学生数に応じて準備しなくてはならない。これは単独で新たに準備しようとするととても大変な金額になる。また、学部でも大学院でも文部科学省の審査に通る教員を最低でも８人程度採用しないといけないし、そのうち教授は半分を超えていなくてはならない。大学院、とくに博士課程を担当できる教授となると年収で１０００万円は保証しないと来てもらえない。となると、どんなに小さな学部や大学院でも教員人件費だけで1億円程度は考えないといけないということになってしまう。しかも、大学院は少人数教育なので、収益をあげることは難しく、どの大学でも大学院を単独で運営するというのはまれで、学部の教員が兼担で大学院の講義を持ち、施設や設備も学部と共有で使っている。どんなに小規模でも大学院を新たにつくるというとお金の掛かる話なのだ。

開設するにあたって経費が多く掛かろうと、その回収の見込みがあれば社会人の学び直しを考える事業者も数多く現れるかもしれない。ところが、日本では社会人の学び直しがなかなか進んでいかないのだ。アメリカではコミュニティカレッジの枠組みの中で勉強し、次の仕事につないでいくケースがあるとよく言われる。日本の場合、文部科学省系の大学教育が支配的で、厚生労働省管轄の職業教育はマイナーな存在である。文部科学省系列の教育では専門学校の教育が実践的だが、これも18歳からの進学がほとんどで社会人の学び直しにはなっていない。大学等の高等教育機関が持っている資源が、多くの社会人の方の学び直しに貢献できる枠組みはないものかといつも考えてきたところである。

本学の枠組みの中で講座を設定する場合は、すでに大学院の経営学研究科という課程を本学は設置しているので、新たに設ける必要はないし、新たに設置経費を使う必要もない。「大学院の課程です」という看板をつくるために新たに多くの教員を雇用せねばならないということもない。すでに大学を卒業された社会人の皆様にも気持ちよく受講いただけるプログラム（大学院のこうしたプログラムの場合、大学が認めれば大卒でなくとも受講できるようにすることもできる）を大きな負担なしにつくることができた。そこで、すでにある本学の大学院経営学研究科の中に特別なプログラムをつくり、大学院に入学しなくともそのプログラムは受講できるようにすることで、社会人にとっても学びやすいプログラムを提供することにした。

◎文部科学省　職業実践力育成プログラム

ＪＰＥＣからの申し出を受けて、私たちが考えた枠組みは、文部科学省が認定している「職業実践力育成プログラム」を利用することだった。ここで、大学教育をどのように職業の実践力に役立たせるかということが課題になる。医療系のような学びと資格がはっきりしているもの、一部の工学などの実業界との関係が深いものを除き、大学教育は実践的ではなく、そのまま職業に役立つものではないと考えられることが多いだろう。

大学、とくに文系の大学教育が無用の長物というのは極論だとしても、大学のような教育機関は、まだ仕事を始めていない若者が「学校」として学びに行くところで、職業経験が豊富にある大人が転職などを考えて学びに行くところではないと一般的に考えられているのかもしれない。とくに実践的に役立つのか大いに疑問である、と考えた読者の方も少なくないのではないだろうか。

このような議論はかなり以前からある。[33] 基礎教育としての大学教育の意義などが議論されることも多いのだが、それは直接的な効果としては認識しづらい。そこで、大学の資源を用いて、具体的に職業に役立つ、つまり大人の職業選択に役立つプログラムを大学は積極的に提案するよう、文部科学省は2015年から促すようになってきた。これが「文部科学省職業実践力育成プログラム」である。文部科学省はHPで次のように書いている。[34]

教育再生実行会議「『学び続ける』社会、全員参加型社会、地方創生を実現する教育の在り方について（第六次提言）」（2015年3月）を受けて、大学・大学院・短期大学・高等専門学校におけるプログラムの受講を通じた社会人の職業に必要な能力の向上を図る機会の拡大を目的として、大学等における社会人や企業等のニーズに応じた実践的・専門的なプログラムを「職業実践力育成プログラム」（BP）として文部科学大臣が認定することとしました。

これにより、①社会人の学び直す選択肢の可視化、②大学等におけるプログラムの魅力向上、③企業等の理解増進を図り、厚生労働省の教育訓練給付制度とも連携し、社会人の学び直しを推進します。

[33]…本田由紀編『文系大学教育は仕事の役に立つのか』ナカニシヤ出版。
[34]…文部科学省HP https://www.mext.go.jp/a_menu/koutou/bp/

社会人の学び直しは日本においても必要となってきているという議論は、以前からあった。

とくに日本の場合は雇用の良い意味での流動化があまり進まず、人材が良い仕事を求めて動いていくということが他国に比べて少ない。それが日本社会全体の生産性向上にとって足かせになってしまっているという議論がある。社会人の学び直しを充実させることができれば、雇用の良い意味での流動化にとってプラスになる。また雇用流動化が進んでいないために、日本では初めて就いた仕事、初職による不平等が大きい。つまり最初に良い仕事に就くことができれば、ずっとそこに留まるか、あるいはもっと良いところに転職することもありうる。しかし、最初に就いた仕事があまり芳しくないと、良い仕事に転職することも難しい。人生１００年時代が言われる中、初職の選択というのは、人生のほんの始まりのライフイベントに過ぎないはずである。ところが、それにより、人生が不平等に決まってしまうということでは、平等なはずだった日本社会の大きな不平等要因になってしまっているのではないだろうか。[35]

[35]…小塩隆士「初職で決まるその後の人生」東京財団研究所 March 19, 2018 https://www.tkfd.or.jp/research/detail.php?id=2898

更に、この問題は世代を絡めて考えるとより不平等さが深刻になる。景気の良い時には比較的良い仕事に就きやすいが、景気がとても悪いと本人の実力にかかわらず、良い仕事に恵まれない。そこで良い仕事に就くことができるかは、本人にはどうしようもない生まれたタイミングによるところが大きいとなってしまうからだ。「就職氷河期世代」「ロストジェネレーション世代」ということが言われ、この世代に対する支援プログラムが長く実施されてきているのも、こうした背景があり、必要なことなのである。「生まれた時が悪いのか」という「昭和ブルース」の歌詞をご存じの方はもう少ないかもしれないが、そのような嘆きが何度も繰り返されることのないよう、社会人の学び直しとして、職業生活の向上に向けた教育プログラムの開発が国を挙げて必要なことについてご理解いただけると思う。

こうした背景から、社会人に学びの機会を提供し、より良い仕事の可能性へのチャンスを開いていくことが様々に追求されるようになってきた。しかし、実現に向けてはいくつかの課題があった。職業訓練の枠組みはある程度存在しているが、根底としては失業対策があり、失業ということが受講の要件になってしまう。潜在的には転職という目的を意識しつつ自分の能力をブラッシュアップする機会は少ない。もちろん都市部であればいくつかの機会はあるだろう。それも東京近郊に圧倒的に集中しているといって良い。中京圏はもちろん近畿圏においてすらメニューの機会は限られてしまうのが実情と思われる。そうした環境の中、各地に立地している大学が何らかの役割を果たせないかという期待もあり、こうした取り組みが構想されてきたのである。

1. 対象とする職業の種類及び**修得可能な能力を具体的かつ明確に設定**しています

2. **関連分野の企業等の意見を取り入れている**ため、対象とする職業に必要な実務に関する知識、技術及び技能を修得できるカリキュラムとなっています

3. **履修証明プログラムの修了者**には**学長名で履修証明書が交付**されます。

4. 主に**実務家教員や関連企業等と連携した授業やグループ討論、フィールドワーク等の科目で構成**されており、**実践的・専門的な授業**を受けられます

5. **社会人が受講しやすい環境を整備**しています
（週末・夜間開講、集中開講、IT活用等）

社会人や企業等にとってこんなメリットがあります

1	2	3	4	5
体系立てられた大学等のカリキュラムを受講することにより、対象とする職種に必要な能力などをしっかり修得することができます	企業等の意見を取り入れたカリキュラムとなっているので、より実践的・専門的な講義で、キャリアアップ、再就職等に効果的な教育が受けられます	教育訓練給付金やキャリア形成促進助成金を活用することにより、受講者・企業に対し、受講料等の一部が支給されます（詳しくは次ページ参照）	志の高い多様な背景を持つ社会人学生と交流することにより、幅広い人脈を築き、視野を広げることができます	週末・夜間開講や、集中開講等、社会人の受講に配慮したプログラムのため、働きながら通うこともできます

文部科学省　職業実践力育成プログラム（BP）のパンフレットより転載
https://www.mext.go.jp/content/20200326-mxt_syogai03-100000982_2.pdf

職業実践力育成プログラム（BP）のパンフレットでは、このプログラムの特徴が利用者に対して、上表のようにわかりやすく示されている。

いささか堅苦しくなるが、上記のパンフレットの内容を担保するために、文部科学省は次のように「大学等における職業実践力育成プログラムの認定に関する規程」を2015年に定めている。

（認定）

第二条　文部科学大臣は、大学

等の正規の課程又は特別の課程（以下「課程」という。）であって、次に掲げる要件に該当すると認められるものを、職業実践力育成プログラムとして認定することができる。
一　対象とする職業の種類及び身に付けることのできる能力を具体的かつ明確に定め、公表していること。
二　対象とする職業に応じ、前号の能力を身に付けるのに必要な実務に関する知識、技術及び技能を修得させる教育課程であること。
三　対象とする職業に関する企業、団体等（以下「企業等」という。）と連携して行う授業、双方向又は多方向に行われる討論を伴う授業その他の実践的な方法による授業が、別に定めるところにより、総授業時数の一定割合以上を占めていること。
四　審査、試験その他の適切な方法により学修の成果に係る評価を行っていること。
五　学校教育法第百九条第一項（同法第百二十三条において準用する場合を含む。）に定める評価を行い、その結果を公表していること。
六　教育課程の編成及び前号の評価を行うに当たり、企業等の意見を聴くための仕組みを整備していること。
七　授業の内容や受講者の利便等を勘案し、授業を行う時間、時期、場所等について社会人が受講しやすい工夫を行っていること。

以上の規定は、文部科学省が社会人対象の講座について定める内容としては、踏み込んだ内容、規定になっていると思う。まず、身に付ける目標とする能力が具体的に定まっていること、そしてそれを身につけることのできる教育課程になっていること、その能力、職業に関連する企業や団体からの意見を参照すること、教育は一方的な講義だけでなく必ず双方向や多方向（教員に対して複数の受講生が同時にコミュニケーションを取る）の授業を一定時間以上置くことなどがしっかりと書かれている。

これは難しい条件であり、検討したが断念した大学もあっただろうと思う。実は、本学もその時に検討したが断念している。初年度の平成27年の申請件数は１３８、認定された講座は１２３件だった。因みに、本学と同法人の大垣女子短期大学はこの初年度に「音楽総合学科音楽療法コース」という履修証明プログラムを申請し、認可された。

第2章 職業実践力として何が求められているのか

本学がＪＰＥＣと進める「カイゼンリーダー養成プログラム」は、職業実践力育成プログラムとしての認定条件をクリアしたわけだが、この講座が育成する能力がどんなものか、この講座が育成する能力が企業のどのようなニーズに応えていくのかということについて少し詳しく述べたい。もちろん、第一義的にはカイゼン活動について学び、カイゼンが企業の役に立つわけであり、申請上はそのような理由を説明した。しかしながら、そうした直接的な内容だけでなく、企業の人材育成の中でもっと役割を果たすだろうと考えるので、その役割について説明することにしたい。

まず、講座の設えとしては、職業にとって実践的なプログラムとなっているのだが、職業にとって実践的に役立つということについて少し整理してみたい。このテーマにはいくつも入り口が考えられるが、ここでは、新人を受け入れていく企業の立場と、多くの若者を受け入れ、その人たちを職業生活に送り出す教育機関の立場という2点から見ることにする。

結論から言うと、日本の企業では、専門特殊的な能力よりも、汎用的な能力が求められる傾向がある。汎用的な能力にも様々な要素があるのだが、その中でも、仕事に取り組む姿勢、態度の形成というところがもっとも重要になる。この「カイゼンリーダー養成プログラム」で教育訓練している内容は、カイゼンに関わる専門知識、スキルといった点はもちろんあるのだが、とくに大事にしているのは、カイゼンに関わるマインドセット、態度形成であり、企業が重要と考えている態度形成を行っている講座と考えられる。したがって、カイゼン教育は、企業にとっては従業員の訓練・育成の根本として取り入れる価値のあるものだと考えられるし、あるいは、これから就職しようとする若者にも、転職を考えている人にも広く有効であると考えている。さらには、地域ぐるみでカイゼン活動に取り組むことで、地域全体をカイゼン・活性化できるのではないかということを最後に論じることにする。

◎企業の立場からみた能力

まず、企業の立場から考えてみよう。意外に思われる方がいるかもしれないし、逆に、そんなことは当然であると思われる方も一定程度いらっしゃるかもしれないが、私の個人的な観察、経験からすると、多くの日本の企業は新たに採用する人材に即戦力よりも忠誠心（ロイヤリティ）や協調性を求めていると考えている。

よく適性テストなどで、一緒に仕事をする人は、能力の高い人が良いか、仲良くなれそうな人が良いか、というような質問がある。心理学者のマクレランドによれば、前者は達成動機の高い人（例えば野球のイチローさんのような人）、後者は親和動機が高い人となる。達成動機が高い人は仕事のスキルや能力で一緒に働く人を選ぶ傾向があり、普段から孤高の人といった雰囲気を醸し出す傾向がある。しかしながら、一般的な大多数の国民は孤高の人でいるよりも、みんなと仲良くしていたいと考えるだろう。私も一人で何かの研鑽に禁欲的に励むよりは、周りのみんなと仲良く焼き肉を食べたい人間である。

同様のことは組織についてもいえる。集団、組織として考えると、日本企業は能力が高く協調性や忠誠心の低い人と、能力的にはやや見劣りがするところもあるが、協調性や忠誠心が高い人とで、迷ったならば後者を採用する傾向があると思う。少なくとも高度成長期の頃から、日本の大企業では即戦力を求める傾向よりも、潜在的学習力を求めるようになり、それと関連して協調性などが重視されるようになってきたようだ。ロナルド・ドーアの名著『イギリスの工場・日本の工場』を読んでいると、日本を代表する巨大企業が、学習力を保証された優秀な人材を継続的な関係のある教育機関から安定的に受け入れるようになっている（市場に対してネットワークの優位）。高度成長期の頃は企業にも体力があり、有望な若い人材を大量に採用し、彼ら（当時はほとんど男性）をしっかりと企業内教育をすることで、○○

マンと言われるような、その企業らしい人材を育てていった。もちろん、この本は、ずいぶん昔の１９６０年代の調査に基づく古典なので、現在は違っているだろうというご批判もあるかもしれない。たしかに当時とは異なる面もたくさんあるのだが、こと人材採用に対する基本的な姿勢は、それほど変わっていないのではないだろうか。[36]

あまり踏み込んだ言い方をすると誤解されてしまうが、日本の職場では、一匹狼的に仕事をこなそうとするよりも、周りと協調しながら集団で成果をあげるタイプが好まれる傾向があり、即戦力的な力よりも、協調性や他の会社の色に染まっていない人材が好まれると言うならば、納得いただけるのではないだろうか。

[36]…Ｒ・ドーア『イギリスの工場・日本の工場―労使関係の比較社会学』１９８７年　筑摩書房

◎長期的な視点に立った採用戦略

中長期にわたって、社内でのチームワークを育てていこうという人材戦略は、採用行動に一層顕著に表れていると言われてきた。しかしながら、平成不況に入って２０００年の頃から、企業はそうした人材育成コストを受け持つ力が衰え、なるべく即戦力になる人材を求めるようになったと言われることもある。私自身、当時、政府系のシンクタンクが主催したセミナーで、「そんな呑気なこと言ってられないんだよ、企業は必死なんだよ」と、部屋全体に聞こえてしまうくらい大きな声で独り言を言ってしまっている中小企業の総務担当者らしい方を目撃したことがある。しかし、そうしたキャラの濃い人に限って、有能だが扱いにくい人材と、素直な若手だったらどちらを採用するかを観察することができたなら、きっと素直な若手を採用していたのだろうと想像する。そうした人ほど、自分の指示に素直に従わない部下は苦手だからである。個人的な感想ばかりではいけないので、厚生労働省の分析を引用したい。

●厚生労働省　2013年版「労働経済の分析」

常用労働者の過不足状況や若年人口比率から推計した新規学卒入職率を比較すると、1995～1998年などでは実際の新規学卒入職率が企業の置かれた状況を基にした推計値を下回り、企業が採用を抑制する傾向がみられたが、2010～2011年では実際の新規学卒入職率が推計値を上回っており、最近では企業を取り巻く経営環境が厳しい中でも採用数を大幅に減少させないようにしていることがうかがわれる。

新規学卒については多くの企業で新卒一括採用が行われているが、その理由をみると、「社員の年齢構成を維持できる」「他社の風習などに染まっていないフレッシュな人材を確保できる」「定期的に一定数の人材を確保できる」といった点が多く挙げられており、企業は育てやすい基幹的人材を定期的に確保するという観点から、他社経験のない新卒者を選好する傾向にあるとされる。（137頁一部修正、傍線は筆者）

また、経済同友会「企業の採用と教育に関するアンケート調査」によれば、新規採用の際に重視される要素として、大学卒、大学院卒ともに、「熱意・意欲」「行動力・実行力」「協調性」の順で多い（次ページの表参照）。近年では「協調性」が高くなっているが、企業内の組織の和やチームワークの重要性が再認識されるようになったことも一つの理由ではないかと考えられる。また、同調査によれば、採用で重視する過程の1位は「面接」となっており、こうした要素の有無や程度は、学生がこれまでに経験した一連の課題発見・解決プロセスを面接において明らかにすることで見極められているものと考えられる。以上の調査からは、企業が若年者を採用する過程においては、熱意、行動力、協調性といった人間性や人物像をより重視していると考えられる。（143頁、傍線は筆者）

○ 大学卒、大学院卒ともに、2004年調査以降「熱意・意欲」が常に1位となっている。
○ 遅くとも2008年調査には、大学卒、大学院卒ともに、「熱意・意欲」、「行動力・実行力」、「協調性等」が上位3位に入っており、1999年調査では大学卒、大学院卒ともに3位以内にランクインしていた「論理的思考力」、「専門知識・研究内容」といった、学業に比較的関連性の強い素養・能力の順位が低下している。

大学卒

	1999年	2004年	2006年	2008年	2010年	2012年
1位	行動力・実行力	熱意・意欲	熱意・意欲	熱意・意欲	熱意・意欲	熱意・意欲
2位	熱意・意欲	行動力・実行力	行動力・実行力	行動力・実行力	行動力・実行力	行動力・実行力
3位	論理的思考力	協調性	協調性	協調性	協調性	チームワーク力（コミュニケーション能力、協調性等）
4位	創造性	論理的思考力	問題解決力	論理的思考力	論理的思考力	誠実さ、明るさ、素直さ等の性格
5位	専門知識・研究内容	表現力・プレゼンテーション能力	論理的思考力	問題解決力	問題解決力	課題発見・解決力

大学院卒

	1999年	2004年	2006年	2008年	2010年	2012年
1位	専門知識・研究内容	熱意・意欲	熱意・意欲	熱意・意欲	熱意・意欲	熱意・意欲
2位	熱意・意欲	行動力・実行力	行動力・実行力	行動力・実行力	行動力・実行力	行動力・実行力
3位	行動力・実行力	専門知識・研究内容	専門知識・研究内容	協調性	協調性	チームワーク力（コミュニケーション能力、協調性等）
4位	論理的思考力	論理的思考力	協調性	専門知識・研究内容	論理的思考力	誠実さ、明るさ、素直さ等の性格
5位	創造性	協調性	論理的思考力	論理的思考力	専門知識・研究内容	課題発見・解決力

資料出所　経済同友会教育委員会「企業の採用と教育に関するアンケート調査」
（注）2012年調査では、大学卒と大学院卒は同じカテゴリーとされていた。

企業の採用で重視される能力 [37]

日本の労働市場の形は、欧米の労働市場とかなり違うと言われる。日本の企業は、まず人を集め、コミュニティを作り、その中で仕事の分業を決める企業内労働市場の形になっている。それに対して、ドイツやスイスでは徹底しているのだが、職業スキル基準が社会の中で共通に決められ、また職業教育の仕組みが社会の中でしっかりと準備されている職業別の労働市場を形成している。アメリカでは企業は、より短期にいわばプロジェクト的になっていき、経営者層も労働者もある目的によって集まったり、集められたりし、そのビジネスモデルの収益率が下がった

労働市場、職業能力開発の類型

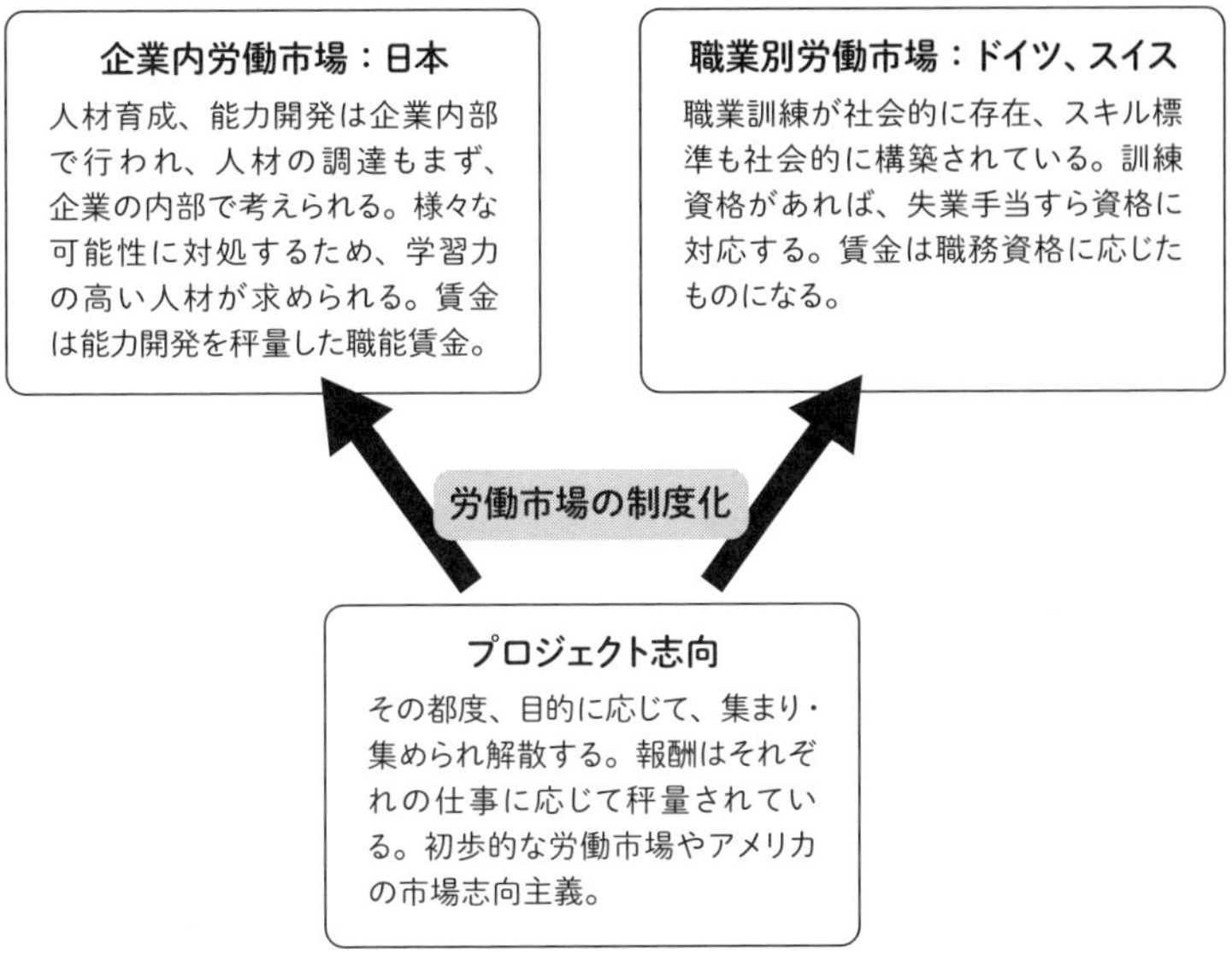

企業内労働市場：日本
人材育成、能力開発は企業内部で行われ、人材の調達もまず、企業の内部で考えられる。様々な可能性に対処するため、学習力の高い人材が求められる。賃金は能力開発を秤量した職能賃金。

職業別労働市場：ドイツ、スイス
職業訓練が社会的に存在、スキル標準も社会的に構築されている。訓練資格があれば、失業手当すら資格に対応する。賃金は職務資格に応じたものになる。

労働市場の制度化

プロジェクト志向
その都度、目的に応じて、集まり・集められ解散する。報酬はそれぞれの仕事に応じて秤量されている。初歩的な労働市場やアメリカの市場志向主義。

ら解散するというようなものになっている。

こうした仕組みの全体を雇用システムということがあるのだが、学校教育の体系、能力観、企業の人事制度、労使関係、国の労働法制、さらには大きく言えば勤労者の生活のすべてが複雑に関係しているのであり、簡単に形を変えていくものではない。

そうした意味では、日本では依然として中長期的な視点に立って、協調性や忠誠心、そして心的な態度を重視した採用が行われているとみて良さそうだ。

[37]…厚生労働省　２０１３年版「労働経済の分析」－構造変化の中での雇用・人材と働き方－　１４３頁。

◎身に付けるべき、求められている能力はどんなものか？

採用戦略が欧米よりも中長期的な視点にたっていそうだとしても、だからと言って能力の低い人をわざわざ選んで採用するということはない。企業としては、できるだけ彼らの求める能力値の高い人材を採用しようとするだろう。そこでは、どんな能力が求められているのだろうか。つまり、現代の企業が求めている職業実践力とはどのようなものだろうか。

今、何か具体的な業務があり、その業務に必要な能力や資格がはっきりしていれば、その能力を有した人を採用するということも考えられるだろう。例えば、何かのシステム開発が必要になった時、経理処理をまとめなければならなくなった時、そのために必要なスキルを持った人を採用するということが考えられる。例えば東京証券取引所のプライム市場に上場したいと考えたときに、現在の人員では手薄だと考えたなら、法務に強い人を採用しようとするかもしれない。こうしたことはスキル志向の採用活動と言うことができるだろう。

それでも、スキル重視がどんどんと広がっているというような状況ではないようだ。労働政策研究・研修機構が行った調査によると、「新規学卒採用に重点を置いている」割合は約33・2％、「中途採用に重点を置いている」割合は約27・4％、両者に「ほぼ同じ程度に重点を置いている」割合は約32・0％である。やはり新卒重視の方がやや多かった。企業の地域展開の状況別に見ると、より広域に展開している企業ほど新規学卒採用に重点を置いている。

従業員数で見た企業規模の大きな企業ほど新規学卒採用に、規模の小さな企業ほど中途採用に重点を置く傾向がある。ただし、従業員300人以上と相対的に規模の大きな企業でも、両者にほぼ同じ程度に重点を置いている割合が約3割ある。[38]

[38]…労働政策研究・研修機構「企業の多様な採用に関する調査」2018年　調査シリーズNo.179。

規模の大きな企業ほど、「専門分野の高度な知識やスキルを持つ人が欲しいから」及び「高度なマネジメント能力、豊富なマネジメントの経験がある人が欲しいから」という理由の割合が高い。規模の小さな企業ほど、「高度とか専門とかでなくてよいので仕事経験が豊富な人が欲しいから」という理由の割合が高くなっている。

2016年度に正社員の中途採用を実施した企業を見ると、正社員の中途採用において求める主な人物像・イメージは、「専門分野の高度な知識・スキルがある人」（約53・9%、非該当を除く）、「ポテンシャルがある人」（約34・9%、非該当を除く）及び「若年層の人」（約31・7%、非該当を除く）である。

規模の大きな企業ほど、「専門分野の高度な知識・スキルがある人」及び「ポテンシャルがある人」という人物像・イメージを求める割合が高い。一方、規模の小さな企業ほど、「若年層の人」という人物像・イメージの割合が高い傾向がある。

この調査結果からは、それほど断定的に言えないところがあるが、次に示す日本学術会議の文書はより簡潔、明快に、「訓練可能性」という言葉を使って説明している。[39]

日本的雇用システムにおいて新卒者に求められたのは、文系就職の場合，専門性や専門的能力であるというよりは、ジェネラリスト的な能力と「訓練可能性」、言い換えれば、その後の企業内での配置や処遇に応じて自己の職務能力を開発していくことのできる汎用的能力であった。

[39]…日本学術会議　https://www.scj.go.jp/ja/member/iinkai/daigaku/pdf/d-14-3.pdf

ここに出てくる「訓練可能性」という言葉がもっとも本質的なことを言い当てている。つまり、何か必要なスキルを持っているかということではなく、何かスキルが必要になったときに、そうしたスキルを学習する能力の高い人を求めているというのが本音なのではないだろうか。

多くの企業は変化に直面していて、対応していかなければならない。アメリカ型の雇用システムでは、環境の変化が起こり、市場や企業自体の内的なニーズが変わってしまったのなら、それまでのニーズに対応していた人や、あるいは企業そのものが役割を終えていなくなり、新たなニーズに対応した人や企業が勃興してくる。働く人たちは、その変化に取り残されたくなかったなら、企業の外部に存在する訓練機関や、コミュニティカレッジのようなところに通い、スキルアップを図らなくてはならない。

ところが、日本は企業の新陳代謝や労働移動による解決（転職）を望まず、企業が変化することによって市場の変化に対応することを望む。それに応じて、従業員たちも学び直し、新たなニーズに応える仕事をしていかなければならない。市場の変化に対する流動性を企業の中に作り出すことが求められているのが、日本の雇用システムの特徴であり、採用にあたっては、現状のスキルよりも、新たな学びの必要性に対処できる学習力や新しいことにチャレンジする姿勢が大切だということになる。こうしたこともあって、特殊な能力よりも、ジェネラリスト的な能力、あるいは学習力ということに関心が向いてきたといえそうだ。これは何も新しいことではなく、かなり昔から指摘されてきたことである。

◎コラム
アメリカのコミュニティ・カレッジ

アメリカにはコミュニティ・カレッジという仕組みがある。アメリカには約4000の大学があるらしいが、そのうち約1200が公立のコミュニティ・カレッジとなっている。安価に大学教育と職業教育を提供することが役割で、特に第2次世界大戦後に、退役軍人の教育機会として大きく発展した。2年制で大学の教養部にあたるような役割を果たしたり、職業教育を行ったりしている。アメリカでは近年、私立大学の学費が極めて高額になっていることから、最初の2年間を安価なコミュニティ・カレッジで学ぶという戦略を取る人もいるそうだ。

アメリカの教育制度について感覚的に理解することは難しいが、コミュニティ・カレッジに関しては素敵な映画がある。アカデミー賞俳優のトム・ハンクスが自ら脚本・監督を務め、相手役にこれもアカデミー賞受賞の大女優ジュリア・ロバーツを起用した映画『幸せの教室』である。トム・ハンクスが演じる主人公は真面目な働き者だが、不況下、大学を出ていないということで長年勤めてきたスーパーを解雇されてしまう。そこで、資格を取ろうとコミュニティ・カレッジに通い始める。カレッジではチューターがいて、相談に応じ、どの科目を履修すべきか教えてくれる。そこで受講することになったのが、ジュリア・ロバーツが演じる先生が教えるスピーチの授業である。この美人の先生は結婚生活がうまくいかず、コミュニティ・カレッジでの教育環境にも満足できず、憂さを晴らすようにお酒に依存する暮らしになりかけていた。

コミュニティ・カレッジは、選抜型のエリート教育ではなく、できるだけ多くの人に大学教育を提供していく入り口になる機関なので、高いレベルの教育が行われているわけではなく、どこかだらしない雰囲気もある。そんな環境でも、トム・ハンクスは若い世代、自分と経験の違う人たちとのまったく新しい出会いを楽しみ、勉強しようとしていく。そうした彼の姿が沈滞していたコミュニティ・カレッジの日常に変化を起こし、登場人物たちが学びながら自分の未来を自然体につくりあげていく前向きな雰囲気を共有していくようになるという話である。

日本でいえば学園物で、間違いなく高校が舞台になるだろうが、ここではコミュニティ・カレッジが舞台になっているのが興味深い。社会人の学び直しということ、日本では山田洋次監督の『学校』が思い出されるだろうが、この作品は、はるかにライトで気軽に楽しめる娯楽映画になっている。小品で興行的には成功しなかったと思うが、アメリカを代表する二人のアカデミー賞受賞俳優によって、コミュニティ・カレッジを舞台とする映画が作られていることは、アメリカの教育の奥深さを物語っていると言えるのではないだろうか。

第3章　汎用的能力を育てる教育機関

◎教育機関が育てるジェネリック・スキル

企業は学習力やジェネラリスト的な能力を求めているとして、それでは教育機関側はどのような取り組みをしていったら良いのだろうか。このテーマに大きな一石を投じたのが、経済産業省による「社会人基礎力」の提案であると認めることは衆目の一致するところだろう。非常に有名になったが、それだけこの言葉は誤解されているところがある。命名の切れ味の良さから「社会人の基礎的な能力」を意味していると誤解されてしまうことが多い。これは誤解であると言い切りたいところなのだが、この言葉の発案者である経済産業省自体が、最近の「人生100年時代の社会人基礎力」のまとめでは下のような説明図を描いて、まさに社会人の基礎的なスキルであると言ってしまっている。

「人生100年時代」に求められるスキル [40]

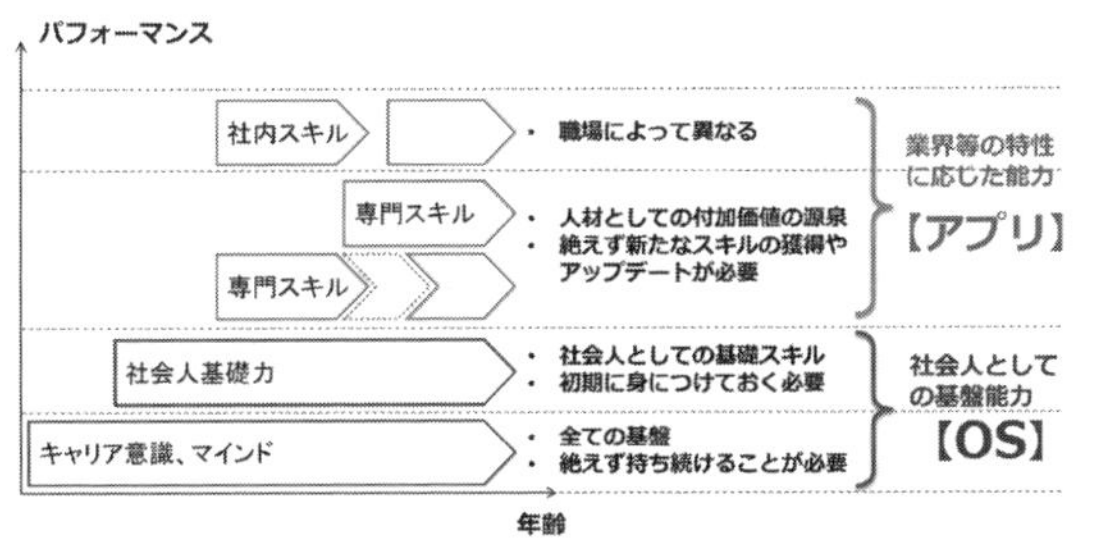

人生100年時代の働き手は、【アプリ】と【OS】を常に"アップデート"し続けていくことが求められる。

しかしながら、同省が最初にこの言葉を打ち出した時には、下図のように説明されていた。この図において社会人基礎力は、ただ基礎的な能力ということではない。基礎的な部分としては、まず人としての人間性、基本的な生活習慣がある。働く人間としての根本であり、これらが大切であることに異論はないだろう。それを土台として、知識との関わりが課題となる。実は当時、課題となっていたのが、大学での高度な学びや知識が産業界で役に立っていないのではないかということだった。別の言い方をすれば、せっかく身に付けたはずの知識が社会の役に立たないので、どうしたら知識が社会の役に立つようになるのか、その部分を追求しようとしたのが社会人基礎力だったはずである。

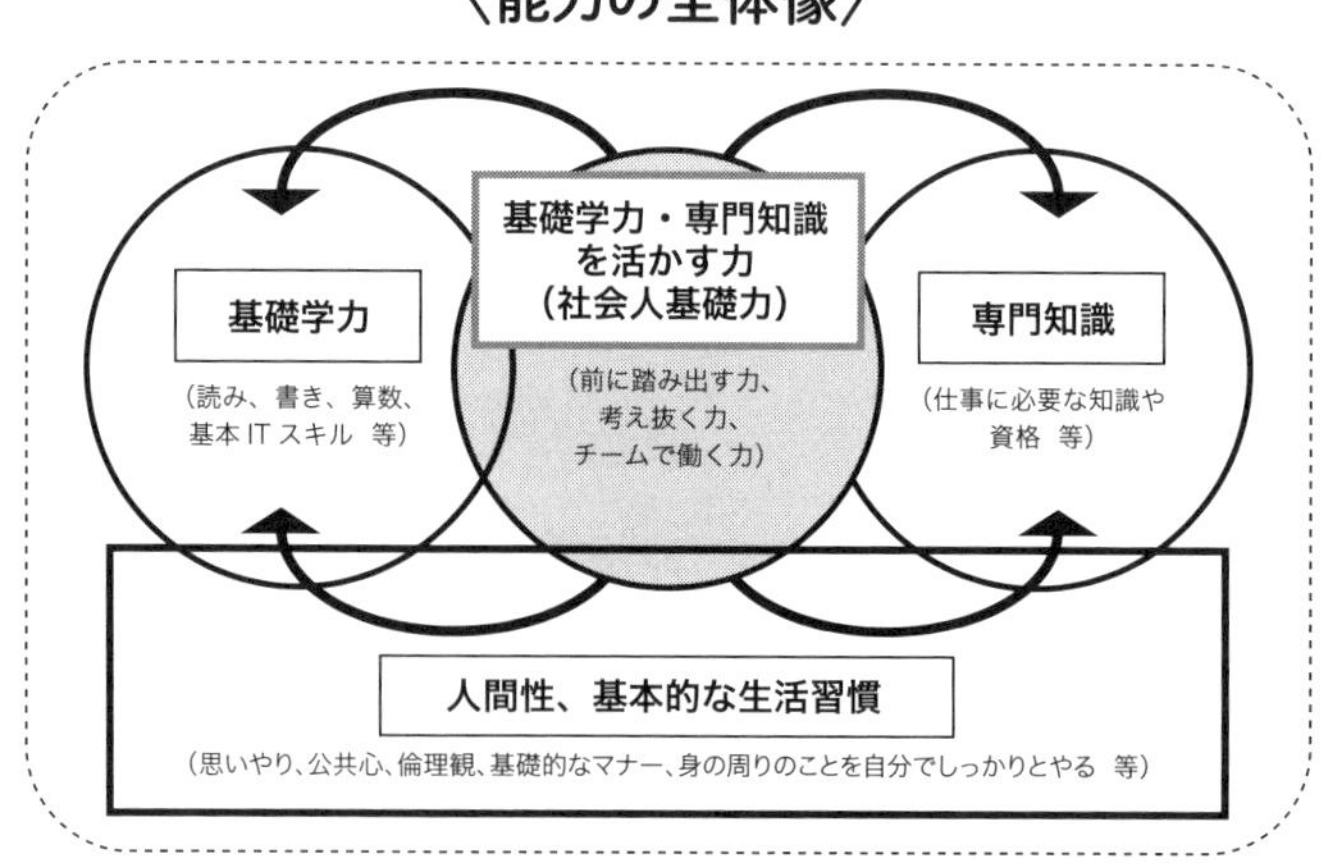

[40]…経済産業省「人生100年時代の社会人基礎力」説明資料、同省HP https://www.meti.go.jp/policy/kisoryoku/

社会人基礎力は、12の能力要素からなる３つの能力からなっており、とりわけ「前に踏み出す力」といった要素が注目された。後に反省からか、「考え抜く力」に重きを主張する試みもあったが、「前に踏み出す力」のインパクトに比べたら小さなものだった（次ページの図参照）。

大学においても、キャリア形成支援を担当する人間たちの間でも、あるいはそうしたものを超えて一般的にもこの言葉は大きな影響力を持ち、文部科学省もそれに対抗して「学士力」といった言葉を定義している。

これは、ほぼ次のような体系をなしている。

1．知識・理解

専攻する特定の学問分野における基本的な知識を体系的に理解するとともに、その知識体系の意味と自己の存在を歴史・社会・自然と関連付けて理解する。

（1）多文化・異文化に関する知識の理解

（2）人類の文化、社会と自然に関する知識の理解

2．汎用的技能

知的活動でも職業生活や社会生活でも必要な技能。

（1）コミュニケーション・スキル

（2）数量的スキル
（3）情報リテラシー
（4）論理的思考力
（5）問題解決力
3．態度・志向性
（1）自己管理力
（2）チームワーク、リーダーシップ
（3）倫理観
（4）市民としての社会的責任
（5）生涯学習力
4．統合的な学習経験と創造的思考力

当時は、各団体がそれぞれの立場から、「○○力」を提案し、体系図を競い合って発表し、百花繚乱という状況になっていた。共通したテーマは、教育機関で教

「社会人基礎力」とは

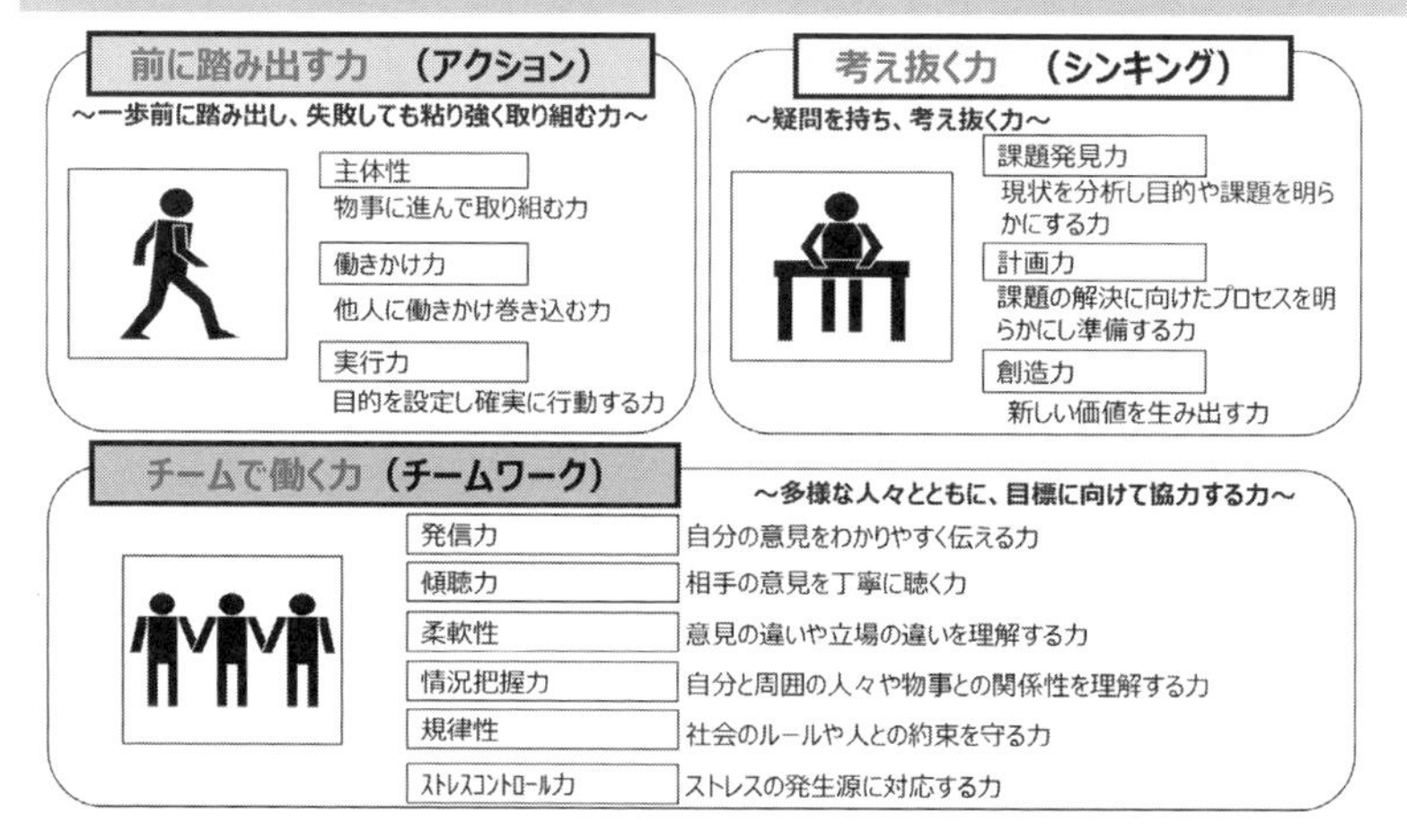

える専門的な知識と、現場で元気に前向きに活躍してもらいたいという人間性の部分とをどのように結びつけるのかということだったと思う。教育機関の座学で学ぶ専門的な知識はたしかに必要であるということもあるのだが、それだけでは頭でっかちな人材になってしまい、企業としては活躍してもらいにくい。その点、その後注目されたアスリート系人材など、上司の命令によって、困難な状況においても、しっかりと前向きに活躍してもらえる。しかし、知識社会化の中で、専門性へのニーズは徐々に高まってきている。両者が高いレベルで統合された人材が望まれるのは当然ということになる。

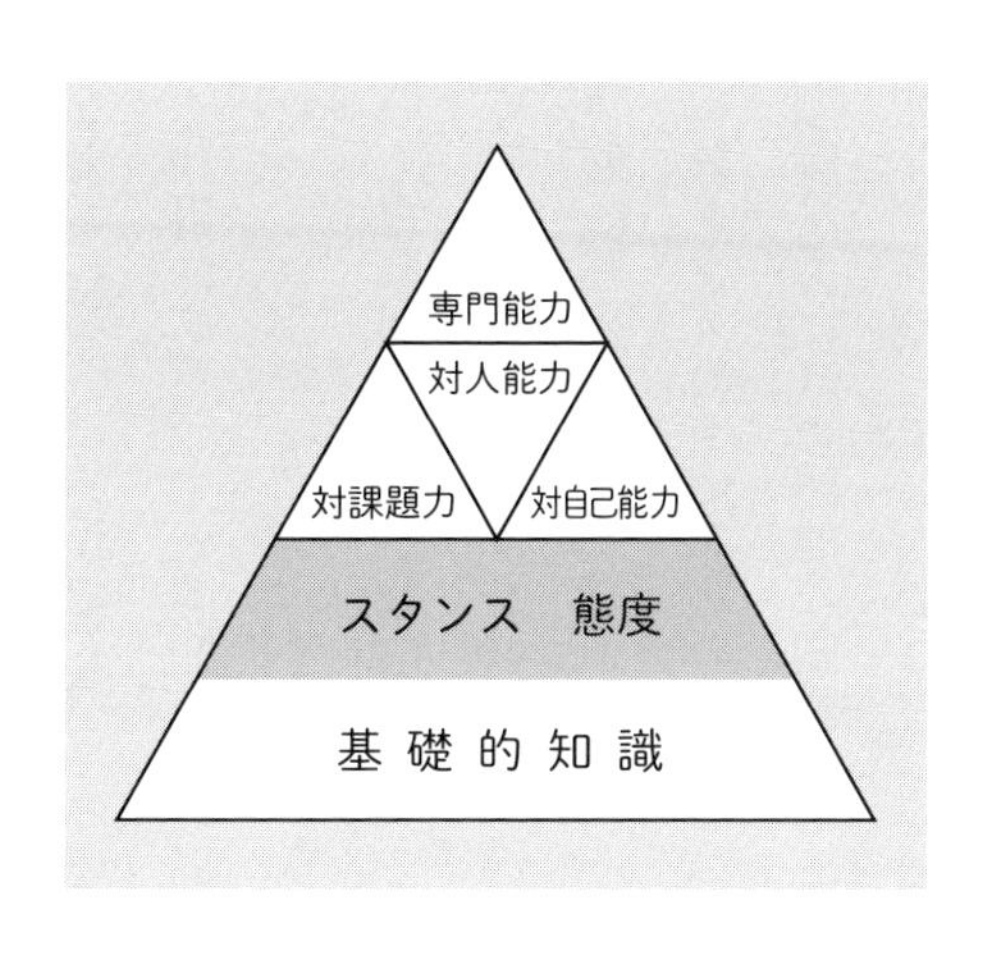

様々な能力の構成要素が提案されるなかで、あるセミナーで出合った人材派遣会社が用いていた図式を参考に私がまとめたのが上の図のような整理で、授業やセミナーで話題にしていた。

まず、基礎的な知識は無ければならない。次に、もっとも重要なのがスタンス（態度）である。課題や環境に対して、どのように感じ、どのように向き合おうとするのか、ということであり、前向きなことが必要なのは言うまでもない。それでも、この辺りの勘所は会社の社風によっても少しずつ異なり、おそらく採用にあたって人間性を見る場合に、このスタンスの感覚がそれぞれの会社に合う・合わないというのは、採用する側にとっても、採用される側にとってももっとも重要に思われる。いくら専門的知識が豊富で優秀であっても、このスタンスが合わなければ、その会社とうまくいかないし、スタンスが合えば、様々な人材に活躍の可能性はあるのではないかと考え、学生にもそんなアドバイスをしていたものである。

スタンスの上にあるのが、3つの力なのだが、まず課題に向き合う能力は大切である。課題解決力には専門的な知識もある程度求められるようになるだろう。次に、仕事は人に対してなされるので対人的な力は必要である。課題解決の力があっても、対人的な能力が低いと物事を進めることができない。仕事の達成度合いはかなりの程度、対人的な調整に依存しているからだ。どんなに頭の切れるキャリア官僚の方でも、学校の成績はそれほど芳しくなかったであろう議員の方から、国会質問なので大きな声で詰問されると、しどろもどろでまともに回答ができなくなってしまう姿をご覧になったことのある読者も多いだろう。これは対課題力があって対人能力が低い例である。企業の担当の方から、多少頭が良くても、飲み屋街で集金させたら、てんで仕事にならないようなひ弱な人材よりもタフな人材を求めているというようなお話をうかがったことがある。これも同じような例だろう。世の中の仕事というのは、コンピュータ相手にさっさと進むようなものではなく、異なる意見をもった人々との対峙、説得、調整ということがいつもつきまとうものなのである。したがって、対人的な能力は仕事を進めるうえで非常に重要な能力となる。

ところが、世の中は皮肉なもので、対人的な能力の高い人は、自分に対して甘いことも多い。マクレランドの心理学を応用すると、パワー動機の強い人は自分のパワーをコントロールする力が弱いことが多く、本当に必要なのは、パワーも強いがパワーの抑制力も強い、組織志向型のパワー型管理人材だということになる。そこで、部下に厳しいが、自分をもっと厳しく律しているので、部下が文句や愚痴を簡単に言えないような人物が評価される。そのような人が高く持っているのが対自己能力ということになる。そうした基礎的な力のうえに専門的な能力が花開くのだという説明図式である。私は、この図式が仕事の場で求められる能力の体系をもっともきれいに示していると考えている。

第4章 ジェネリック・スキルとしてのカイゼンと地域課題解決

前章では、企業での採用や教育に関わる立場、教育機関での能力育成の目安としての立場からジェネリック・スキルに対する注目について概括してきた。その形成においては人間的な素養をベースに、専門的力を発揮する前提として、仕事や課題、人に対して、あるいは自分自身や人生そのものに対して、どんな姿勢をもっているのかが、もっとも大切なのではないかということを論じてきたつもりである。

そう考えてきたときに、本書の中心的なテーマである、カイゼンに関する力＝カイゼン力というのは、一つのジェネリック・スキルの表現の形というか、もっとも大事な姿勢・態度の表現の形なのではないかと私は考えている。

カイゼン活動については、まずは基本的な態度が前提になる。つまり、現状をそのままに受け入れ、反省なく仕事に向かうのではなく、絶えずカイゼンしようという意識を持ってタスクごとに向き合う姿勢がもっとも肝要である。これなしにはカイゼンはそもそもスタートしない。あるがままをそのまま無反省に受け入れ、漫然と日々仕事をこなしていくのではなく、絶えず全体を俯瞰しつつ、なぜそうなっているのか、もっと合理的な方法があるのではないかというマインドセットを養うことがカイゼン教育の前提にはあるはずである。

このマインドセットは難しいもので、昭和の時代であれば、成果を絞りだす目的意識・決意を強化することに表現されていた。しかし、これはやはり昭和的な方法論である。今日の学習者にはそのような手法はまったく通用しない。今日では、まず全体の筋道について体系的に説明する。次に、それぞれの職場で経験的にやってみせる。はじめのうちはコーチが横についていて、やってみせてあげる。時には解答例を示してあげることもあるかもしれない。そうした場面を重ねていくと、学習者もやりかたがわかってきて、自分からカイゼン点を指摘するようになる。ひとつカイゼンできて、周りから評価されれば、承認欲求が満たされ面白くなり、やがて我も我もと提案するようになる。そうなってくるとしめたもので、コーチは徐々に姿を消していき、学習者たちが相互に学びあいながら、一つの事業所を題材にしたカイゼンを仕上げていく。そうしたことが積み重ねられていくなかで、カイゼンに向けた姿勢・態度がしっかりと身に付いていく。こうしたコーチングの手法が洗練されているところが、今日の「カイゼンリーダー養成プログラム」の特徴であり、昭和時代のカイゼン活動との決定的な違いであると考えている。

ところで、ここまではおそらく第一段階だろう。これから仕事に就こうとする人間にとって、そうしたマインドセットとある程度のノウハウを持っていることは、他の競争者に対して有利に働き、より望んだ仕事に就くチャンスを大きくしてくれるだろう。また、企業にとっては従業員にそうした姿勢を身に付けさせることで、業務を根幹から良い方向に導くことができるだろう。

しかしながら、これが第一段階だというのは、カイゼンを是として実行する空気が支配的な場で訓練が行われるからである。第二段階は、もはや訓練ではなく、カイゼンに関わる姿勢、ノウハウをそれぞれの会社に持ち帰ったり、自分が勤めることになる会社に持ち込んだりしていくプロセスとなる。そこでは、課題を分析する力、解決案を提案する力が必要になるだけでなく、特に課題解決に向けて対人的な交渉やとりまとめのスキルも必要になる。現実の職場では、様々な考え方があり、職場のみんなの気持ちは簡単には一つにならないからだ。新しい考えを同僚に理解してもらい何かを変えていくのは、決して簡単で平坦な道のりにはならないので、やり抜く力も必要になる。自分は正しいことを言っているのに、同僚や上司は聴いてくれない。聴いてくれない周りが悪いのだから自分はもうカイゼン意欲など捨ててしまおう、と考えてしまう人材であれば、それはカイゼン意識が真に定着している人材とは言えないだろう。困難な課題に向けて自分をモチベートし、粘り強く取り組む胆力というものも、対自己能力の一つである。そして、なかなか言うことを聴いてくれない同僚や上司を説得し、カイゼンをもっと進めていくには、専門的な知識やノウハウが必要で、それらに裏打ちされた説得がもっとも効果的になるだろう。

このように、カイゼンを繰り返す場面というのは、これまで述べてきたジェネリック・スキルがもっとも成長し、ある目的に向かって発露されていく絶好の場面であると考えることができるのである。

今日は変化の激しい時代であると言われる。この直近数年の出来事だけでも、新型コロナウイルスのパンデミック、半導体不足、ウクライナ危機と原油高やエネルギー問題、様々な分野での原材料高、そして記録的な円安といった問題が次々と惹起してきた。これらに対処していくのは並大抵のことではないのだが、その時に求められている力を考えてみると、何か決まった専門スキルというよりも、汎用的な能力がもっとも大事というのは一般的な真理ではないだろうか。また、新しい能力として、今日必要な能力が言われることがあるにせよ、それらはまったく新しいものということではなく、既知の能力を課題解決に志向させて総動員したようなものになっていくと考える。そうした能力を形成していくうえでも、カイゼン力の強化は、もっとも理解しやすい、また取り組みやすい入口なのではないだろうかというのが、ここで述べておきたいことである。

◎地域創生の教科書としてのカイゼン活動＝カイゼンコミュニティ

最後に、個々の企業や個人の立場を離れ、カイゼン活動が地域の活性化につながるという点について述べて、第2部を閉じたい。

本学での取り組みがスタートする以前から岐阜県下呂市では、カイゼン活動がスタートしていた。一企業ということではなく、そのサプライチェーンを通じて、あるいは地縁的なものを通じてカイゼンが町全体に広がっていたということである。本学の大学院プログラムを始めてからも、下呂市では多くの方に受講いただき、カイゼン活動が広がっている。日本中の多くの温泉地は国民的な旅行形態の変化の中で苦境の中にある。修学旅行や会社の団体旅行といったマス型の観光ビジネスモデルは過去の時代のものになり、それに対応したインフラ（ホテル・旅館の形）は収益力の低いものとなってしまった。そうした状況に追い打ちをかけてコロナのパンデミックである。大変な状況になっている温泉地もあるだろう。ところが、下呂市からは元気な話題を聞かせてもらうことが多くなった。かつては下呂市でも寂しい話を聞いたこともあったし、大きな予算が投じられて上意下達式に新しい試みが行われたが、それらが大きな成果をあげられなかったというような噂を聞いたこともある。一つの旅館ならまだしも、一つの大きな温泉地を活性化するような施策など、どんな大きな予算を投じてもなかなか難しいのではないだろうか。ところが、今日の下呂市では、カイゼン活動が町全体に浸透する中で、様々な形での活性化が進むようになっている。それが町全体の活気を作り出していると言えそうだ。これは、「カイゼンリーダー養成プログラム」を下呂市で展開させていただくなかで、私も初めて気がつき、教えられたことである。

このように地域全体や大きな組織群がカイゼン活動を共有している状態は、カイゼンコミュニティと言われることもある。ある地域や組織群がカイゼンマインドを共有し、日々の活動をカイゼンすることで、地域全体が活性化したり、大きな組織全体が活性化したりすることがある。なぜ、そのようなことがうまくいくのかと考えてみると、それはカイゼンの実践が上からの命令を実行するものではなく、下からの提案の積み重ねによって生成され、支えられていることに原因があるように思われる。膨大なカイゼンの積み重ねを地域全体で取り組むことは、地域の多くの人々が地域の活性化に取り組むことを意味する。地域の活性化のために利他的に多くの人が参画するのは難しいことかもしれない。しかし、町全体がカイゼンマインドを共有し、それぞれがそれぞれの持ち場で、自分のために自分ごととしてカイゼンを積み重ねることが地域全体に共有されれば、町全体のカイゼンになる。町に立地するいくつもの企業、工場、商店、旅館がカイゼン活動に取り組み、そこで働く一人ひとりがみな、日々、カイゼン意識をもって働いていたら、自然と町全体が活気づくものだからである。

よく誤解されて、カイゼンは苦しいことをする、乾いた雑巾を絞るように、無理やり経営利益の追求を行うものであると言われてしまうこともあった。ひょっとすると、そのような試みも実際にあったのかもしれない。しかしながら、本書が推奨するカイゼン活動はそのようなものではない。ムダを取り除くということは美しくなることであり、気持ちのよくなることだ。岐阜協立大学での「カイゼンリーダー養成プログラム」を下呂市で始めるにあたり、私は挨拶で「カイゼン活動は優れたアスリートの動きのようなものを目指すものだ」と説明させていただいた。ムダをそぎ落としていった陸上選手の走り、動きを極めた体操選手の技はとても美しい。同様に、カイゼンを進めることは美しく、共感を呼ぶことができ、実行する本人も、そしてそれを受け取るお客様にとっても気持ちの良いものを追求することなのだと説明したのである。こうしたカイゼン意欲を持って、町の人たちが働いていけば、町全体が気持ちよく、美しいものになっていくだろう。しかもコストはそれほどかからない。地域活性化に悩む地域の主導的な企業の方や、自治体の行政の方にとっては、町全体でカイゼンに取り組むことを検討していただくことも一つのヒントになるのではないかと考えている。

町の企業、行政、そして様々な組織がカイゼン活動に取り組み、地域全体が生き生きとした活気にみなぎるような地域が日本中に多く生まれることは、地域活性化に向けた一つの可能性だと多少大げさながら信じているところである。地域の沈滞や人口減に直面しながら、大きな予算を掛けることができず、打ち手がないと悩んでいる自治体の関係者や地域活動に携わっている方は、是非、町ぐるみでカイゼン活動に取り組むことを考えてみていただきたい。

あとがき

コロナ禍になり3年が過ぎる。コロナ前がどのような生活様式だったのか、思い返すのもやっとであるくらいの強烈な経済的ショックだった。その一方で、私たちはコロナ禍を経験したゆえの産物もたくさん得た。何気ない人とのつながりや家族、健康や命、自然の大切さや偉大さ、仕事や働く場所のありがたみなど、コロナ前にはあたりまえだったことは、実は〝ありがたし〟だったのだと……。

本書はコロナ禍に粛々と開催し続けた岐阜協立大学大学院の「トヨタ生産方式とカイゼンリーダー養成プログラム」をウィズコロナ、アフターコロナに合わせ広くご理解いただき、この先トヨタ生産方式を通じて新たな時代や社会、企業や職場を共に創造し続けたいとの想いで書き記した。

この間、岐阜協立大学　学長　竹内治彦先生には本プログラム立ち上げから開催まで、ひとかたならぬご尽力をいただいたことは本書内でご紹介した通りだ。なおかつ本書第2部では、実践的な社会学の視点を持たれ、岐阜県内外の産業経済社会の論客としてご活躍されるお立場からのご見解もいただくに至った。岐阜協立大学の関係者の皆様方にも併せてこの場をお借りして心から感謝申し上げます。

また本書執筆にあたり、トヨタ生産方式導入に立ち向かった各社経営者、カイゼンリーダーの皆様にも改めて感謝申し上げます。はじめは半信半疑ながらも稚拙な私の言葉に耳を傾け、そしてカイゼン成果を導き出していくその心の奥底には、自社の事業を末永く持続させたい、働く人々をより幸せにしたい、業界に力をつけたい、地域に活力をつけたい……といった極めて前向きな志が必ずあった。「改善＝己を改め善くする」――まさに自分も変わらねばならないと考え、変化への重圧を吹き飛ばし、最大の強敵、自分自身と闘う姿も必ず垣間見られた。それはトヨタ生産方式を深く愛し、広く理解を求め奔走した先人たちも同じだったのだと思う。

自分との闘いに挑んだトヨタ生産方式の先人たちは、本書に記した私の考えや進め方をどう見ておられるか。この先もトヨタ生産方式の現場での実践を介し、耳をそばだて心で手を合わせながら考えを深めていきたいと思う。

私をここまでトヨタ生産方式の虜にしたレジェンド、厳父　山田日登志氏と、その父に生涯を捧げている母には心から感謝してカイゼン談義はいったんここで閉じることにする。

ＪＰＥＣ　山田直志

カイゼンリーダーが参考にしてほしい書籍

●『トヨタ生産方式～脱規模の経営をめざして～』
大野耐一著　1978年　ダイヤモンド社

●『トヨタ生産方式をトコトン理解する事典』
山田日登志著　1988年　日刊工業新聞社

●『ズバリ現場のムダどり事典～トヨタ生産方式の実践哲学』
山田日登志著　1989年　日刊工業新聞社

●『改善魂（トヨタ生産方式）を求めて』
山田日登志著　1998年　日刊工業新聞社

●『常識破りのものづくり』（NHKスペシャルセレクション）
山田日登志・片岡利文著　2001年　日本放送出版協会

●『ひと目でわかる　すぐに活かせる　基礎からわかる　改善リーダー養成講座』
山田日登志著　2008年　日刊工業新聞社

●『ムダとりの達人　山田日登志のカイゼン7つの法則』
宮坂賢一著・日経トップリーダー編　2011年　日経BP社

●『なぜ『ふるさと製造業』は強いのか～メイド・イン・ジャパン復活の方策』
山田日登志著　2013年　PHPビジネス新書

●『ムダの向こうに見えたもの　山田日登志の改善魂』
山田日登志著　2016年　日刊工業新聞社

●『リーン生産方式が、世界の自動車産業をこう変える～最強の日本車メーカーを欧米が追い越す日』
James P.Womack Ph.D., Daniel Roos Ph.D., Daniel T.Jones Ph.D., 著　沢田博訳　1990年　経済界

●『ムダなし企業への挑戦～リーン思考で組織が若返る』
James P.Womack Ph.D., Daniel T.Jones Ph.D. 著　稲垣公夫訳　1997年　日経BP社

参考文献

●『リーン・ソリューション』
James P.Womack Ph.D., Daniel T.Jones Ph.D. 著　生田りえ子・山下優子訳　2008年　日経BP社

●『THE TOYOTA WAY　TO SERVICE EXCELLENCE ～サービス業のリーン改革～（上・下）』
Jeffry K.Liker,Karyn Ross 著　稲垣公夫・成沢俊子訳　2019年　日経BP社

●『スモール イズ ビューティフル～人間中心の経済学～』
Ernst Friedrich Schumacher 著　小島慶三・酒井懋共訳　1986年　講談社学術文庫

●『インダストリー4・0 第4次産業革命の全貌』
尾木蔵人著　2015年　東洋経済新報社

●『カイゼン型病院経営～待ち時間ゼロへの挑戦』
麻生泰著　2015年　日本経済新聞出版社

●『Joy at Work ～片づけでときめく働き方を手に入れる』
近藤麻理恵・Scott Sonenshein 著　古草秀子訳　2020年　河出書房新社

●『国運の分岐点～中小企業改革で再び輝くか、中国の属国になるか』
David Atkinson 著　2019年　講談社

●『コロナ後を生きる逆転戦略～縮小ニッポンで勝つための30カ条～』
河合雅司著　2021年　文春新書

●『日本企業の復活力～コロナショックを超えて～』
伊丹敬之著　2021年　文春新書

●『老人支配国家 日本の危機』
Emmanuel Todd 著　2021年　文春新書

●『新訳　科学的管理法～マネジメントの原点』
Frederick Winslow Taylor 著　有賀裕子訳　2009年　ダイヤモンド社

著者プロフィール

竹内治彦　岐阜協立大学　学長

1989年慶應義塾大学大学院社会学研究科博士課程単位取得満期退学。社会学修士、産業社会学、雇用システムの研究、労使関係論。1992年岐阜経済大学着任。2013年～2017年同大学副学長。2012年～2014年岐阜市男女共同参画推進審議会会長。2014年岐阜県人口問題研究会座長。2015年～大垣市男女共同参画推進審議会会長。2016年～岐阜県ぎふ少子化対策県民連携会議会長。2016年～山県市男女共同参画推進会議会長。

山田直志　JPEC・岐阜協立大学　大学院　非常勤講師

岐阜県生まれ。日本大学国際関係学部、名城大学大学院大学・学校づくり研究科（教育経営修士）卒業。PEC産業教育センターへ入社、主任研究員、東北PEC協会代表運営委員を歴任。数多くの製造現場でトヨタ生産方式による生産革新活動、企業再建を実施。2007年JPEC設立。現在は、上場企業、中小企業を中心とする数百社にのぼる企業組織、教育機関、社会福祉法人へのコンサルティング、講演会活動などを務めるかたわら地方自治体、経済団体と連携し、トヨタ生産方式の実践を通じた産業人材の育成を推進。岐阜協立大学 大学院 非常勤講師。キヤノン 、トステム（現 LIXIL）、ソニーなどにトヨタ生産方式を導入、セル生産方式を確立、「工場再建請負人」の異名を持つ山田日登志氏は厳父。

トヨタ生産方式によるカイゼンリーダー

～シン・カイゼンが育む地域経済社会～

2023年1月30日　初版第1刷発行

著　者　　竹内治彦・山田直志

発行所　　ブイツーソリューション
〒466-0848　名古屋市昭和区長戸町4-40
電話 052-799-7391　FAX 052-799-7984

発売元　　星雲社（共同出版社・流通責任出版社）
〒112-0005　東京都文京区水道1-3-30
電話 03-3868-3275　FAX 03-3868-6588

印刷所　　下呂印刷株式会社

ISBN978-4-434-31473-5